KiWi
Paperback

615

Über das Buch:

Marthe ist siebzig und führt ein völlig zurückgezogenes Leben als Witwe. Fast 50 Jahre war sie mit Edmond verheiratet, einem Mann, den ihr Vater für sie ausgesucht hatte. Pflichtbewußt und rücksichtsvoll hat sie immer nur für andere gelebt, den ernsten Edmond, ihre Kinder und später die Enkelkinder. Und dann lernt sie Félix kennen. Es ist Liebe auf den ersten Blick, Marthes große Liebe. Félix, der Maler ist und noch einmal zehn Jahre älter, wirbelt ihr Leben völlig durcheinander. Sie, die stets dunkelblau gekleidet war, kauft sich ein rot gemustertes Kleid, klatschmohnrot wie das der jungen Frau, die sie auf der Straße gesehen hat. Ihre triste Wohnung frischt sie mit Farbe auf. Von ihren überraschten und peinlich berührten Kindern läßt sie sich nicht im geringsten in ihrem neuen Lebensgefühl irritieren. Sie genießt ihre leidenschaftliche Liebe mit Félix.

Auch wenn die Haut faltig ist, der Gang beschwerlich, für die Liebe spielt es keine Rolle, wie Noëlle Châtelet in diesem zauberhaften kleinen Roman stilistisch sicher, einfühlsam und voller Takt darstellt.

»Einfach nur schön: Noëlle Châtelet erzählt, warum es für die Liebe nie zu spät ist.«

Deutsches Allgemeines Sonntagsblatt

Die Autorin:

Noëlle Châtelet, die als Universitätsdozentin in Paris lebt, hat Romane, Erzählungen und Essays veröffentlicht. 1987 erhielt sie den Prix Goncourt de la Nouvelle, für »Die Dame in Blau« den Prix Anne de Noailles der Académie Française.

Bisher bei K&W erschienen:

»Die Dame in Blau«, Roman, 1997, Kiwi 531, 1999. »Die Klatschmohnfrau«, Roman, 1999. »Das Sonnenblumenmädchen«, Roman, 2000.

Noëlle Châtelet
Die Klatschmohnfrau

Roman

Aus dem Französischen von
Uli Wittmann

Kiepenheuer & Witsch

8. Auflage 2002

Titel der Originalausgabe: *La femme coquelicot*
Copyright © 1997 by Editions Stock
Aus dem Französischen von Uli Wittmann
© 1999, 2001 by Verlag Kiepenheuer & Witsch, Köln
Alle Rechte vorbehalten. Kein Teil des Werkes darf in irgendeiner Form
(durch Fotografie, Mikrofilm oder ein anderes Verfahren)
ohne schriftliche Genehmigung des Verlags reproduziert
oder unter Verwendung elektronischer Systeme
verarbeitet, vervielfältigt oder verbreitet werden.
Umschlaggestaltung: Barbara Thoben, Köln
Umschlagzeichnung: Andrea Hipler
Gesamtherstellung: Clausen & Bosse, Leck
ISBN 3-462-02997-5

Marthe liegt im Bett.

Mit halbgeschlossenen Augen zögert sie den Augenblick des Erwachens noch etwas hinaus, diese seltsamen Minuten des Schwankens, in denen sie alterslos ist und durch alle Phasen ihrer Vergangenheit streifen kann. So geht sie von einer Marthe zur anderen, läßt ihre Erinnerung verweilen, wie es ihr gefällt, ganz nach Lust und Laune, heiter oder betrübt. Je nachdem.

Und sie seufzt. Sie seufzt gern, selbst ohne Grund. Diese kleinen Windstöße der Seele sind so beruhigend, so erfrischend.

Nach dem Seufzer – aber erst danach – öffnet sie weit die Augen, betrachtet ihr Schlafzimmer, ihr Leben. Das Leben einer alten Dame.

Die Ausstattung ist beige, verblichen, wie die Vorhänge, die Tagesdecke und die Häkeldeckchen auf den beiden Sesseln und der Kommode.

Sich aufzurichten, auf den Rand des Betts zu setzen, erfordert eine gewisse Vorsicht. Die steif gewordenen Glieder zu recken, sich auf das Stechen in der linken Hüfte einzustellen, das Marthe dann bis zum Zubettgehen mehr oder weniger hartnäckig begleiten wird.

Ein weiterer Seufzer. Die Pantoffeln. Der Morgenrock aus Satin.

Die Küchenuhr zeigt acht Uhr an, wie sollte es auch anders sein? Der Kessel kocht. Das Brot ist im Toaster. Drei kleine Scheiben, mehr nicht.

Die Überraschung kommt beim Aufgießen des Tees. Zwei gestrichene Teelöffel, mehr nicht.

Der Gedanke behagt ihr nicht so wie sonst. Wenn sie auf sich hören würde, müßte sie sogar sagen, daß sich ihr beim Geruch des Tees der Magen umdreht, und da Marthe nun einmal auf sich hört – das tut sie fast nur noch –, legt sie besorgt beide Hände auf die Brust.

Das Herz schlägt ruhig. Trotzdem zieht Marthe den Hocker näher, zählt gewissenhaft die Pillen ab und legt sie bereit. Medikamente sind wie Seufzer: Sie beruhigen. Sie zu zählen, tut schon gut – dem Herzen, der Hüfte.

Ihr plötzlicher Widerwille gegen Tee macht sie stutzig. Doch wie soll eine Frau, die seit so vielen Jahren nichts mehr begehrt, schon ahnen, daß die Verwirrung, in die sie geraten ist, ganz einfach auf einem Gelüst beruht?

Marthe hat Lust auf Kaffee. Nach zwanzig unermüdlichen Ceylon-Tee-Jahren hat Marthe Lust auf Kaffee.

Der Tee war wohl einer gewissen Zwangslage, einer Kapitulation des ganzen Körpers am Tag von Edmonds Beerdigung entsprungen, als Marthe, von Übelkeit geplagt, die Kraft dazu gefehlt hatte, allein am Tisch vor ihrem Milchkaffee in dieser selben Küche sitzen zu müssen, auch wenn sie schon so manches Mal davon geträumt hatte, in Ruhe, ohne das Brummen ihres Mannes, den immer

irgend etwas oder irgend jemand verstimmte,
frühstücken zu können.

Edmond der Griesgram, der gallige Edmond ...

Marthe hat Kaffee im Haus. Für ihre Kinder,
wenn sie zu Besuch kommen, oder für die
Concierge, wenn sie das Treppenhaus putzt.

Doch der Kaffee, den Marthe für sich kocht,
hat weder etwas mit dem Kaffee für die Kinder noch mit dem für Madame Groslier mit
ihren nach Bohnerwachs riechenden Fingern
zu tun.

Diesen Kaffee schlürft Marthe jetzt genüßlich mit halbgeschlossenen Augen, als wache
sie zum zweitenmal auf. Gierig trinkt sie ihre
Tasse leer.

Seltsame Sekunden des Schwankens.

Dann drängt sich ihr ein Bild auf, das noch
ganz deutlich ist, weil es vom gestrigen Tag
stammt, das Bild des Mannes mit den tausend
Halstüchern, Stammgast wie sie im Bistro
»Les Trois Canons«, nachmittags, wenn es
ruhig ist, wenn die Ruhe zur Leere wird und
die Langeweile an den Rändern der Einsamkeit nagt.

Gestern nachmittag trug er zu seiner unvermeidlichen Jacke aus braunem Kordsamt einen ziemlich modischen, granatfarbenen Schal mit Kaschmirmustern.

Gestern nachmittag hatte er sich zum Kaffee einen Trester bestellt, und Valentin hatte ihm, als er das Gewünschte brachte, auf unbeschreibliche Weise zugeblinzelt und als Zeugen den alten Hund mit dem weißen, leicht struppigen Fell genommen, der seinem Herrn brav zu Füßen lag und ihm zutiefst ähnelte.

Gestern nachmittag hatte sich der Mann mit den tausend Halstüchern Marthe zugewandt. Mit erstaunlicher Eleganz für einen Mann, der trotz seines Alters so kräftige Hände hatte – Hände, die sie letztlich stärker überraschten als die eindrucksvolle Vielzahl seiner Halstücher und Schals –, hatte er langsam seine Tasse gehoben und den Kaffee, dessen starker Duft sie einhüllte und mit dem er ihr offensichtlich zutrank, geschlürft, ohne die Augen von ihr zu wenden, als wolle er sie an diesem Moment höchsten Genusses teilhaben lassen.

Wider alles Erwarten hatte Marthe nicht mit der Wimper gezuckt, nicht zuletzt, weil von diesem Blick, dem nichts Vulgäres anhaftete, irgend etwas Brüderliches ausging. Aus einer Entfernung von drei Tischen hatte sie also nur durch die Kraft ihrer gemeinsamen, spontanen Erfindungsgabe die Tasse mit ihm bis auf den letzten Tropfen geleert. Anschließend vertiefte sich der Mann mit den tausend Halstüchern wieder völlig gelassen in sein Zeichenheft, während Marthe sich ihr Riesenkreuzworträtsel vornahm und sich zwang, den nun völlig faden Eisenkrauttee auszutrinken ...

Entgegen ihrer Befürchtung zieht diese morgendliche Kaffee-Eskapade weder Herzklopfen noch andere Strafen ähnlicher Art nach sich. Marthe gönnt sich also eine weitere Tasse und schlürft sie langsam, bis sich ihrer flachen, ein wenig knochigen Brust ein genüßlicher Seufzer entringt.

Marthe nutzt diese angenehme Energie, um ihr Schlafzimmer zu lüften und die Zeitungen zu sortieren. In dem gestrigen, zu drei Vierteln gelösten Kreuzworträtsel erregt ein Wort in der Mitte der Felder ihre Aufmerksamkeit. Das Wort, das sie geschrieben hat, nachdem sie den Kaffee mit dem Mann mit den tausend Halstüchern »geteilt« hat. Sie liest: »Plan« – ein Begriff, der »eine besondere Absicht« definiert, wie die Zeitung formuliert. Marthe, die nicht weiß, daß sie errötet, bekommt plötzlich warme Wangen.

Einen Plan hat sie tatsächlich. Und eine ganz besondere Absicht ebenfalls. Nach so vielen Jahren ohne Gelüste, ohne jegliches Begehren, besteht Marthes ganz besondere Absicht darin, noch heute um drei Uhr in die »Trois Canons« zu gehen und bei Valentin zwei Kaffee zu bestellen – einen davon für sich.

»Zwei Espresso, zwei!«

Valentin eilt davon. Er scheint eine gewisse Befriedigung darüber zu empfinden, Marthe etwas anderes zu bringen als ihren üblichen Eisenkrauttee.

Als er die Bestellung entgegengenommen hat, war er einen Augenblick verwirrt. Marthe hat gespürt, wie er drauf und dran war nachzufragen, ob sie tatsächlich »zwei« Kaffee wünsche, aber irgend etwas hat ihn davon abgehalten.

Erstaunt über ihre eigene Kühnheit kann sich Marthe das Lachen nicht verkneifen.

Doch nun, da die beiden Tassen Kaffee vor ihr stehen, ist sie plötzlich verwirrt: Er ist nicht da. In ihrem sorgfältig ausgeklügelten und mehrfach überdachten Plan hatte sie nicht eine Sekunde lang die Möglichkeit erwogen, daß er nicht da sein könnte. Im allgemeinen, wenn sie um drei Uhr die Tür zu den »Trois Canons« aufmacht, sitzt der Mann mit den tausend Halstüchern schon am Tisch, den Hund zu seinen Füßen, und macht in seinem Zeichenheft Skizzen von den wenigen Gästen.

Und überhaupt, er müßte doch da sein!

Marthe ist verunsichert. Ihre Empfindungen sind ziemlich verworren ... Es ist nicht nur Enttäuschung. Enttäuschungen kennt sie nur zu gut, wenn zum Beispiel eines ihrer Kinder – Céline öfter als Paul, das stimmt zwar – den versprochenen Besuch mit den Kleinen absagt, für die der Kaffeetisch im Eßzimmer schon gedeckt ist und die Coca-Cola, die sie aus diesem Anlaß gekauft hat, schon im Kühlschrank bereitsteht. Oder wenn sie das Stechen in der Hüfte eine knappe Stunde nach Einnahme der abendlichen Tabletten weckt und sie plötzlich an der Medizin zweifeln läßt, der sie eine geradezu religiöse

Ehrfurcht entgegenbringt, die ihr als tägliche geistige Übung dient.

Diesmal fühlt sich Marthe geradezu verraten, erniedrigt.

Verraten durch seine Abwesenheit. Erniedrigt durch ihre Anwesenheit, ganz zu schweigen vom lächerlichen Anblick der beiden dampfenden Tassen Kaffee, von denen sie nicht einmal weiß, welches die ihre ist.

Marthe sieht noch einmal das Bild vor sich, an dem sie den ganzen Vormittag gefeilt hat:

Sie, die vornehme, souveräne Dame, beauftragt Valentin, den Kaffee an den Tisch des Mannes mit den tausend Halstüchern zu bringen. Er, überrascht, verwirrt, erhebt sich, verbeugt sich vor ihr, bedankt sich und bittet sie an seinen Tisch. Sie, fein, gewandt: »Bin ich Ihnen nicht einen Kaffee schuldig?« Er, beflissen, aber höflich, während er ungelenk seinen weißen Seidenschal zurechtrückt: »Aber ich bitte Sie, Madame, *ich* bin Ihnen zu Dank verpflichtet, Sie haben mir gestern das Vergnügen gestattet, einen Kaffee mit Ihnen zu trinken!«

Marthe ärgert sich natürlich über sich selbst. All das ist eigentlich grotesk. Grotesk der Einfall mit den beiden Tassen Kaffee, grotesk dieses ganze Theater und die viele Zeit, die sie dafür verwandt hat, die Sache bis ins Letzte zu planen wie ein schelmisches romantisches Mädchen.

»Romantisch«...Wie oft hatte sie dieses unselige Wort schon gehört! Zunächst von ihrem Vater, der den verrückten Ideen des kleinen, allzu sensiblen, allzu überspannten Mädchens bis in den hintersten Winkel nachgestellt hatte; und dann von Edmond, dessen Prinzipien und dessen Dünkel die spärlichen, noch verbleibenden Funken ihrer Phantasie, ihrer Träume, endgültig erstickt hatten!

Eigentlich ist das ja grotesk und dennoch...

Marthe tut ein Stück Zucker in eine der beiden Tassen. Nachdenklich rührt sie mit dem Löffel um.

Dennoch ist es nicht grotesk, und zwar aus einem Grund, der nach und nach im Duft des Kaffees Gestalt annimmt.

Aus einem einfachen, nicht zu leugnenden Grund: Marthe amüsiert sich.

Trotz des Verrats, trotz der Lächerlichkeit, oder vielleicht gerade deswegen, amüsiert sich Marthe seit gestern um halb vier bis heute zur gleichen Zeit.

So sehr, daß sie darüber ihr Kreuzworträtsel vergißt. So sehr, daß sie die beiden Tassen Kaffee trinkt, ohne eine Spur von Herzklopfen ...

Eine alte Dame, die sich amüsiert, bewegt sich nicht wie eine alte Dame, die vom Leben ohne Grund weitergetrieben wird, oder wie ein Bauer auf dem Schachbrett in den Fingern eines blasierten Spielers.

Selbst Valentin hat das bemerkt.

Als sie mit ihrer kleinen Tasche aus geflochtenem Leder in der Hand die »Trois Canons« verläßt, genießt Marthe trotz des Stechens in der linken Hüfte jeden einzelnen Schritt.

* * *
* *

Durch den Wechsel von Tee zu Kaffee hat Marthe das Register gewechselt, als habe sich ihr Dasein sozusagen um eine Stufe nach oben bewegt.

Alles ist durchaus noch unverändert, aber eben um einen Grad gesteigert.

Zum Beispiel salzt sie ihr Essen stärker, ißt zum Frühstück mehr als drei Scheiben Brot, stellt das Radio oder den Fernseher lauter. Sie will die Geräusche verstärken. Sehen, wie die Farben erstrahlen. Selbst die alltäglichen Gegenstände haben eine andere Dichte, eine andere Griffigkeit angenommen. Marthe braucht konkretere Empfindungen, eine größere Nähe zu den Dingen und den Menschen.

Als Paul sie vor zwei Tagen abends angerufen hatte, um sich nach ihrem Befinden zu erkundigen, fand sie die Stimme ihres Sohns reichlich fad, obwohl er sich große Mühe gab, laut und deutlich zu sprechen (was im übrigen auf Grund Marthes schärfer gewordener Sinneswahrnehmung völlig überflüssig war), als habe er es mit einer geistig zurückgebliebenen Person zu tun.

»Du kannst ruhig leiser sprechen, weißt du, ich kann dir ohne Mühe folgen!« hatte Marthe schließlich zu ihm gesagt. Paul hatte am Hörer einen Augenblick verlegen gestockt.

Diese höhere Stufe, diese gesteigerte Wahr-
nehmungsgabe erlauben ihr auch, manche
Dinge des Alltags geradezu als ein Ereignis zu
feiern. Die selbstverständlichen Gesten sind
einer Vielzahl kleiner Freuden gewichen.

Der geringste Anlaß versetzt sie in Entzücken.

Auch Aufregungen empfindet Marthe jetzt
in gesteigerter Form. Das spürt sie deutlich
daran, wie das Klingeln eines Besuchers an
der Haustür oder die leichte Veränderung
in Madame Grosliers Stimme auf sie wirkt,
wenn die Concierge ihr genüßlich von den
jüngsten Katastrophen in ihrem Haus oder
Viertel erzählt.

Und von dem, was sich vor einer knappen
Viertelstunde ereignet hat, ist Marthe noch
völlig erschüttert, völlig taumelig.

Denn Madame Groslier, die offensichtlich
nicht die Tragweite ihrer Worte zu ermessen
vermag, ist zu ihr gekommen, um zu erzählen, daß es vor den »Trois Canons« eine Gas-
explosion gegeben habe, alle Scheiben des
Bistros seien mit einem Schlag zertrümmert
worden.

Wenn Madame Groslier ein Herz gehabt hätte, sie hätte gemerkt, welche Wirkung diese Nachricht in Marthe hervorrief.

Denn die Explosion hat sich nicht nur in den »Trois Canons« ereignet, für Marthe hat sie in einem vergessenen Winkel ihres Inneren stattgefunden, in dem die Blume der Träume noch immer blau blüht, einem Winkel, den Edmond verbannt hat, Edmond, der immer wieder sagte: »Was bist du bloß romatisch, mein Kleines!« – als habe sie in diesen Augenblicken nicht einmal Anrecht auf das weibliche Geschlecht. Worte, die in ihr die tiefen Wurzeln der Hoffnung ausgerissen haben. Die Explosion verwandelt sich in eine Schreckensvision, den Anblick des Mannes mit den tausend Halstüchern, der in einer Blutlache liegt, während der alte Hund zwischen umherflatternden Zeichnungen auf dem mit Glassplittern übersäten Boden ein Todesgeheul anstimmt.

Nur ruhig Blut! Sich hinsetzen, zur Ruhe kommen, eine Stufe, einen Grad heruntergehen.

Hat Madame Groslier etwa von Opfern gesprochen? Nein. Na also!

Sie muß hingehen. Mehr nicht. Zu den »Trois Canons«.

Sie stülpt den Hut über den im Nacken geflochtenen Knoten. Als sie sieht, wie blaß sie geworden ist, wird ihre Angst noch größer. Sie wird gleich hingehen. Sie muß hingehen. Das ist sie ihm schuldig.

Das Bistro ist gleich um die Ecke ...

Als sie die zum Hut passenden Handschuhe anzieht, schrillt das Telefon.

Marthe zögert. Dann geht sie doch an den Apparat. Auch wenn das Telefon nicht sehr wichtig ist, bleibt es dennoch wichtig: Es ist ihre Hauptverbindung zu den anderen. Aber warum gerade jetzt?

»Mama, hier ist Céline.«

»Ach, du bist es!«

»Ja, ich bin's! Was ist los, du scheinst dich ja nicht gerade über meinen Anruf zu freuen.«

»Aber natürlich freue ich mich, aber weißt du, ich habe es gerade ... sehr eilig ... Kannst du etwas später zurückrufen, mein Schatz?«

Céline stockt einen Augenblick, so wie Paul neulich. Es ist vermutlich das erstemal, daß ihre Mutter keine Zeit für sie hat.

»Na gut . . . In Ordnung, dann rufe ich später noch mal an . . .«

Marthe klammert sich an das Treppengeländer. Ein Stockwerk, alles verschwimmt, die Stufen, die Gedanken.

Jetzt ist sie sich sicher, er liegt mitten in den Trümmern. Staubbedeckt beugt sich Valentin über ihn. Er löst das karierte schwarzweiße Halstuch, um das Blut abzuwischen, das durch das verklebte weiße Haar sickert.

Hat Madame Groslier etwa von Opfern gesprochen? Nein. Na also!

Und während sie so schnell, wie es ihre linke Hüfte erlaubt, zu den »Trois Canons« eilt, begreift sie auf einmal, daß ihre Gewissensbisse und ihre Unentschlossenheit, die sie daran gehindert haben, nachmittags gegen drei – wenn es ruhig ist und die Ruhe zur Leere wird – in das Bistro zurückzukehren, nicht nur auf verletzter Eitelkeit beruhten.

Marthe bleibt keine andere Wahl: Der Mann mit den tausend Halstüchern beschäftigt sie, ob sie will oder nicht.

Vor den »Trois Canons« haben sich ein paar Schaulustige versammelt. Marthe gesellt sich zu ihnen und beruhigt sich sogleich: Die Leute reden über den Graben, den die Bauarbeiter in der Gosse ausheben.

Und was die Tür des Bistros betrifft, so ist sie tatsächlich zertrümmert, doch die Scheiben der Terrasse sind heil geblieben.

Madame Groslier hat sich wieder einmal selbst übertroffen.

Im Inneren des Lokals unterhält sich Valentin eifrig mit dem Glaser.

Marthe könnte getrost nach Hause zurückkehren. Doch sie rührt sich nicht vom Fleck, steht mit hängenden Armen da, während sie eine sanfte, träge Wehmut überkommt. Und dann seufzt sie, seufzt vor Seligkeit und Dankbarkeit darüber, daß sie auf der Welt ist, und zwar auf dieser Welt – mit der gleichen Seligkeit wie bei ihrer ersten Kommunion, als sie vor der zitternden Kerzenflamme kniete und spürte, wie ihrer Seele Flügel wuchsen. Dieses sanfte Flattern spürt sie nun wieder tief im Inneren ihres Körpers. Sie taumelt am Rand des Bordsteins ...

Marthe spürt nicht sofort die Hand, die sich auf ihren Arm gelegt hat. Die Hand muß sie

erst aus dem Traum zurückholen, der die Seelen fühlbar werden läßt, bis Marthe ihr ganzes
Gewicht zurückbekommt und wieder zu Ma-
terie wird. Es ist eine stark verbrauchte und
dennoch kräftige Männerhand, die erstaunlich breit auf ihrem schmalen Arm liegt. Eine
Hand, die nach Kaffee riecht.

»Sie sind also auch gekommen?«

Marthe wendet sich nicht um. Sie blickt nur
weiter auf diese Hand, die sie kennt, die sie
gekannt hat oder die sie kennen wird.

Wenn Marthe nachdenken würde, könnte
sie aus seiner Frage schließen, daß auch er
erfahren hat, was in den »Trois Canons«
geschehen ist und daß auch er einen Schreck
bekommen hat ...

Doch warum soll sie nachdenken, wenn
alles so klar und deutlich ist?

Nein, Marthe versucht nur zu erraten, wel-
chen Schal oder welches Halstuch er heute
trägt. Die Hand auf ihrem zarten Arm wird
schwer. Marthe spürt die feuchte Wärme
durch den Stoff aus blauer Kreppseide.

Sie entscheidet sich für den granatfarbenen
Schal mit Kaschmirmustern.

Marthe hat auf diese eher bestätigende Frage nicht geantwortet. Ist ihre Zustimmung, daß diese Hand ihren Arm erobert hat, nicht Antwort genug?

Schließlich wendet sie sich um. Es ist tatsächlich der granatfarbene Schal.

Die Schar der Schaulustigen beugt sich über das Loch, das die Arbeiter ausgehoben haben. Es wirkt wie ein kleiner Bombentrichter.

Nur eine alte Dame und ein alter Herr, die sich blinzelnd in der grellen Mittagssonne betrachten, stehen kerzengerade, wie geblendet da.

Marthe hat eine Verabredung.

Das Wort ist so köstlich, daß sie es im Kopf hin und her dreht, so wie man ein Karamelbonbon lutscht, das gegen die im Zucker schwimmenden Zähne stößt.

Um sieben Uhr. In den »Trois Canons«. Noch heute abend. Normalerweise geht sie um diese Uhrzeit nie aus, zum einen aus einer unbestimmten Furcht, die für sie mit dem Einbruch der Nacht verbunden ist, und zum anderen, um nicht den Augenblick zu verpassen, in dem die Enkelkinder nach dem abendlichen Bad anrufen könnten, Pauls Söhne Thierry und Vincent – in dieser Reihenfolge – und ein wenig später, da sie noch nicht zur Schule geht, Célines Tochter Mathilde.

Marthe genießt diese regelmäßigen Gespräche mit ihren Enkelkindern, die ihr in verschwörerischem Ton erzählen, was sie tagsüber gemacht haben. Sie errät am plötzlichen Wechsel im Tonfall, wann die Eltern das Zimmer betreten oder verlassen. Geheimnisse werden flüsternd ausgetauscht, vor allem mit Mathilde, der die Heimlichtuerei zur zweiten Natur geworden ist.

Der Mann mit den tausend Halstüchern hat sieben Uhr vorgeschlagen, und Marthe hat so schnell ja gesagt, daß sie sich fragt, ob nicht jemand anders an ihrer Stelle geantwortet hat.

Eine Verabredung.

Schon seit langem verbindet sie dieses Wort nur noch mit einem Eintrag in ihrem leeren Notizbuch neben dem Namen von Dr. Binet oder dem eines Beamten der Pensionskasse, dessen Aufgabe sich darauf beschränkt, zu überprüfen, daß sie noch lebt und ein ordnungsgemäßes Dasein führt.

Diese Verabredung notiert sie nicht. Ihr Gedächtnis hat sie schon in einem Winkel ihres Herzens festgehalten.

Doch Marthe hat vergessen, was es heißt, ungeduldig zu sein. Sie muß den Sinn des

Wortes »warten« neu erlernen, das jetzt mit dem Wort Verabredung untrennbar verbunden ist, wenn die Uhrzeiger keinen Millimeter vorrücken wollen und die Ziffer Sieben außer Reichweite zu sein scheint. Muß neu erlernen, daß der Ausdruck »die Zeit totschlagen« keine bloße Metapher ist und man jeder Sekunde, jeder Minute, die sich dahinschleppt, den Garaus machen möchte.

Und dann, nach der Wartezeit, nach den endlosen Momenten, in denen alles zum Stillstand kommt, außer Kraft gesetzt ist, diese plötzliche Beschleunigung der Dinge und die außer Rand und Band geratenen Zeiger und die schicksalhafte Stunde, die im Galopp auf sie zukommt, als wollte sie sich für die Verspätung, für die verlorene Zeit entschuldigen, und Marthe, die noch nicht fertig, überhaupt noch nicht fertig ist, weil sie nicht weiß, nicht mehr weiß, was eine Verabredung ist und wie man sich darauf vorbereitet.

Es ist halb sieben, und Marthe ist in heller Aufregung.

Soll man um diese Tageszeit auf der Terrasse eines Bistros den Hut aufbehalten?

Wann soll sie ihre Medikamente einnehmen, wenn sie so spät zu Abend ißt? Und die Enkelkinder? Sie rufen bestimmt heute abend an. Vielleicht hätte sie ein anderes Kleid anziehen sollen. Wird von ihr erwartet, daß sie etwas trinkt, von ihr, die aus Angst, nachts aufstehen zu müssen, nie etwas vor der Suppe trinkt?

Nur noch zwanzig Minuten. Die Haustürschlüssel haben sich in Luft aufgelöst. Ja, der Gashahn ist zugedreht. Nein, das Telefon klingelt nicht. Ach so, das Schlüsselbund ist ganz unten in der Handtasche. Mit den Medikamenten, das wird man schon sehen. Und ein anderes Kleid anziehen, was soll denn das heißen? Dieses ist genau richtig. Ach natürlich, der Hut! Sie fühlt sich mit diesem Hut so schön behütet.

Um zehn vor geht sie die Treppe hinab und sagt sich, während sie sich bei jedem Schritt am Geländer festhält, daß sie ganz pünktlich da sein wird. Die Concierge stellt gerade die Mülltonnen auf den Hof und macht dabei unnötig viel Lärm, um die Hausbewohner daran zu erinnern, wem sie ihren Komfort zu verdanken haben. Als sie Marthe sieht, ist sie einen Augenblick verblüfft, will etwas sagen, besinnt sich aber anders und begnügt sich damit, mürrisch den Mund zu verziehen.

Marthe ist hoch erfreut darüber, Madame Groslier zu begegnen – das ist ihre Rache für den Schrecken, den ihr die Concierge mit der Explosion in den »Trois Canons« eingejagt hat. Sie kann sich nicht verkneifen, ihr lakonisch zuzurufen: »Ich habe eine Verabredung«, und bringt damit die Unglücksprophetin, den Katastrophenapostel vollends aus der Fassung.

Die Straße verschluckt Marthe und ihr verschmitztes Lächeln, das gleiche Lächeln, mit dem sie bei Valentin zwei Tassen Kaffee bestellt hat.

Bis zu dem Treffpunkt sind es nur ein paar hundert Meter. Ein Weg, den sie mit geschlossenen Augen zurücklegen könnte und an den ihre Augen, ihr Schritt, ihre Gedanken gewohnt sind. Und plötzlich die Erschütterung. Das grelle rote Schild der »Trois Canons« zerplatzt am Himmel, schießt etwas ab.

Marthe hat Angst. Angst wie ein Soldat unter feindlichem Beschuß. Die Kugel tut nicht weh, doch Marthe spürt den Einschuß in der Magengrube. Wie einen sanften Biß. Die Kugel tut nicht weh, aber dennoch bleibt es eine Kugel, nachdrücklich und durchschlagend.

Doch nachdem die Erschütterung vorüber ist, geht Marthe mit diesem neuen Gefühl im Magen weiter, das ihr bald angenehm, wenn nicht gar notwendig wird, um einen Fuß vor den anderen zu setzen. Das Neonschild des Bistros wird größer und deutlicher. Marthe muß innerlich über die Ironie der Worte lächeln. Es ist das erstemal, daß ihr der militärische Sinn der »Trois Canons« aufgeht: Kanonen, drei Kanonen. Und sie befindet sich, so denkt sie, direkt in der Schußlinie, sie ist die willige Zielscheibe dieser schweren Artillerie, und das auf Grund der Verabredung mit einem Unbekannten. Oder besser gesagt der Begegnung mit dem Unbekannten – einem Teil ihrer selbst vielleicht, das sie wiederfinden muß, weil sie mitten in all der Langeweile vom Weg abgekommen ist.

Nur wenige Schritte entfernt wartet eine andere Marthe auf sie. Sie, die gewöhnlich eine rege Phantasie besitzt, hat große Mühe, sich diese Marthe vorzustellen. Wer ist sie nur? Sie ist ihr fast fremd.

Nur der Mann mit den tausend Halstüchern ist über jeden Zweifel erhaben. Sie kennt den Klang seiner Stimme, die warme Kraft seiner Hand. Er blickt ihr entgegen, wie sollte es auch anders sein?

Marthe hat das seltsame Gefühl, zu einer Begegnung mit sich selbst zu gehen. Sie braucht jetzt nur noch die Tür zu öffnen.

»Sie werden erwartet, Madame.«

Valentin führt sie selbst an den Tisch. Abends um sieben ist in den »Trois Canons« nichts mehr so wie sonst. Sogar der Kellner hat irgendwie etwas Feierliches.

Der Mann mit den tausend Halstüchern steht höflich auf. Er reicht Marthe die Hand, seine kräftige warme Hand, an die sie so oft gedacht hat. Marthe läßt die ihre einen Augenblick in der seinen ruhen, gerade lange genug, um festzustellen, daß ihre Hand heute abend ein wenig zittert.

Als Marthe sich ganz behutsam setzt – wegen der linken Hüfte, aber auch aus einer gewissen Schüchternheit, deren geradezu unschuldige Anmut sie nie jemals wiederzufinden geglaubt hätte – und ihn unsicher anblickt, stellt sie verblüfft fest, daß der Mann mit den tausend Halstüchern kein Halstuch trägt. Durch den offenen Kragen seines violetten Seidenhemds sieht sie seinen nackten Hals, einen von geheimnisvollen Falten zerfurchten Hals, einen verbrauchten, lebendigen Greisenhals.

Marthe, die nie durstig ist, hat auf einmal einen trockenen Mund. Instinktiv faßt sie sich an den Hals, der ebenso nackt, ebenso verbraucht ist. Sie hatte vergessen, wie seidig die Haut ist. Sie hatte vergessen, wie weich sich ihre eigene Haut anfühlt.

Das schrille Klingeln reißt Marthe aus dem Schlaf.

»Tag Mama! Hier ist Paul!«

»Ach, du bist es!«

»Ich rufe dich aus dem Büro an. Ist alles in Ordnung, Mama?«

»Ja, ja ... es ist alles in Ordnung, warum?«

»Céline hat mir gesagt, daß du gestern abend nicht ans Telefon gegangen bist ... Sie hat mich ganz unruhig gemacht ... Du weißt ja, wie sie ist! ...«

»Gestern abend ... Wieviel Uhr ist es?«

»Was meinst du damit ›Wieviel Uhr es ist‹? Es ist nach zehn!« Paul verstummt. »Du hast dich doch wohl nicht mit deinen Medi-

kamenten vertan? Du hast so eine merkwür-
dige Stimme!«

»Mit meinen Medikamenten? Nein, nein...
Ich habe gut geschlafen, das ist alles ...«

Paul bleibt wieder eine Weile stumm.

»Na gut. Ich muß jetzt weitermachen. Wir
rufen dich heute abend an. Paß gut auf dich
auf ... Bis Sonntag, Mama!«

Marthe richtet sich auf dem Kopfkissen auf.
Ungläubig betrachtet sie ihren Wecker und
noch ungläubiger die Tabletten für die Nacht.
Sie hat ganz einfach vergessen, sie vor dem
Schlafengehen einzunehmen.

Sie seufzt. Dieser Seufzer ist neu. Er drückt
keine Sehnsucht, keine Erleichterung und
nicht einmal Zufriedenheit aus. Ein Stoßseuf-
zer der Seele im Reinzustand.

Das erste, was sie bemerkt, als sie sich wieder gefaßt hat, ist die ungewohnte Unordnung
in ihrem Bett. Sie kennt es kaum wieder, so
zerwühlt ist es. Normalerweise schläft Marthe
ruhig wie eine Tote, als solle jede Nacht sie
unbewußt auf den großen Schlaf, auf die Ewigkeit vorbereiten.

Das Durcheinander der Laken, die auf die Erde geworfene Tagesdecke, zeugen von einer unruhigen Nacht, an die sie sich seltsamerweise überhaupt nicht erinnert. Man muß allerdings sagen, daß es Edmond in den dreißig Jahren ihres geregelten Ehelebens nicht gelungen war, Marthes nächtliches, von Träumen oder Alpträumen geschürtes Temperament zu zügeln, das sie so unruhig schlafen ließ, daß ihr Mann, voller Wut über dieses, wie er sagte, schamlose Verhalten, ihr mehr als einmal gedroht hatte, getrennt zu schlafen, eine Drohung, die er leider nie wahr gemacht hatte. Doch mit fünfzig Jahren war Marthe mit einem Schlag ruhig geworden, am selben Tag übrigens, an dem sie zum Tee übergegangen war, am Tag von Edmonds Tod. Edmond, der Pedant, der pingelige Edmond ...

Und seit diesem Tag, seit all ihre unterdrückte Überschwenglichkeit verpufft ist, hat sie friedlich geschlafen, jedenfalls bis zur letzten Nacht ...

Deshalb betrachtet Marthe ihr Bett, als befrage sie ihr eigenes Spiegelbild. Und auf einmal spürt sie schon wieder, wie ihr die Hitze in die Wangen steigt ...

»Wissen Sie, daß ich schon lange auf diesen Augenblick gewartet habe ...?«

Der Mann mit den tausend Halstüchern – sie kannte seinen Vornamen noch nicht – hatte diesen Satz völlig ungezwungen ausgesprochen, und Marthe hatte sich da gesagt, daß sie, wenn sie sich die idealen ersten Worte für eine ideale Begegnung hätte ausdenken sollen, genau mit diesen Worten angefangen hätte. Die Röte war ihr ins Gesicht gestiegen und hatte das »ich auch« überflüssig gemacht, das vielleicht ein wenig gewöhnlich, wenn nicht gar etwas zu gewagt für eine Dame mit Hut gewesen wäre, die sich um diese Uhrzeit auf der Terrasse eines Bistros aufhielt, in dem sogar Valentin einschüchternd wirkte ...

Marthe setzt sich auf die zerknitterten Laken. Die steif gewordenen Glieder recken, sich auf das Stechen in der linken Hüfte einstellen.

Für die tägliche Bestandsaufnahme betrachtet sie prüfend das Schlafzimmer. Und der Anblick, der sich ihr bietet, erschüttert sie.

Kann man sich etwas Jämmerliches vorstellen als diese einheitlichen, verblichenen Beigetöne der Vorhänge und der Tagesdecke? Auf welchem staubigen Dachboden sind bloß diese Häkeldeckchen aufgestöbert worden? Dieser Raum ist einfach trübselig, das steht fest. Ein langweiliges Schlafzimmer, das nichts als düstere Gedanken hervorruft und jeden vor Überdruß den Mut verlieren läßt. Céline hatte ihr beim Aussuchen und Nähen des beigefarbenen Stoffs geholfen, jetzt erinnert sie sich wieder. »Das ist die ideale Farbe für dich, Mama«, hatte ihre Tochter versichert, und Marthe hatte nicht recht gewagt, lange über die Gründe für diese Behauptung, bei der ihr Witwendasein und ihre Einsamkeit eine Rolle gespielt haben dürften, mit ihr zu diskutieren. Beigetöne können verblassen, verbleichen und sogar ganz verschwinden, und sie mit ihnen ... Und genauso war es gewesen. Jedenfalls bis zur vergangenen Nacht.

Heute morgen ruft das verblichene Beige, oder anders gesagt, das Fehlen jeder Farbe, bei Marthe richtig Übelkeit hervor. Es ist vor allem eine Beleidigung ihrer hochfliegenden Gedanken, eine Beleidigung ihrer quicklebendigen Seele, die höher schlägt, purpurrot wie der Portwein, den Valentin ihnen am Vortag in zwei kleinen Stielgläsern serviert hat.

»Auf unser Wohl, Madame!« hatte der Mann mit den tausend Halstüchern fröhlich gesagt.

Marthe hatte mit ihm angestoßen, Glas gegen Glas, Herz gegen Herz. Und alles war entflammt. Die beiden Herzen mußten wohl laut geklungen haben, denn der alte Hund zu ihren Füßen war mit einem Satz aufgewacht. Marthe hatte ihm mit der Hand über die feuchte Schnauze gestrichen, um ihn zu beruhigen.

»Wie heißt er eigentlich?« hatte sie gefragt.

»Ich nenne ihn ›Hund‹«, hatte der Mann mit den tausend Halstüchern lächelnd erwidert und, ihr zuvorkommend, hinzugefügt: »Und ich bin Félix, stets zu Ihren Diensten ...«

Der Kaffee dampft in der Teeschale.

Marthe denkt genüßlich über die Farbe ihrer nächsten Vorhänge und der Tagesdecke nach, eine richtige Farbe mit Rot oder Violett darin, wie das Hemd des Mannes mit den tausend Halstüchern, den sie noch nicht Félix zu nennen wagt, auch wenn der Mann mit den tausend Halstüchern nicht immer ein Halstuch trägt und auch wenn das, was seit kurzem in ihr Leben eingedrungen ist, reiner Freude ähnelt.

»Junger Mann, ich möchte gern einen Taschenkalender.«

»Für Sie?« fragt der Verkäufer und starrt Marthe an.

Sie findet diese Frage ungebührlich.

»Selbstverständlich!« erwidert sie gebieterisch.

Mit etwas mehr Respekt legt der junge Mann mehrere Notizbücher auf den Ladentisch.

Marthe nimmt sie nacheinander in die Hand, blättert, zögert.

Der Kalender soll leicht sein. Muß in ihre Handtasche aus geflochtenem Leder passen. Vor allem kein Schwarz ...

Der Verkäufer gibt sich große Mühe, um seinen Fehler wiedergutzumachen. Schließlich stöbert er eine Kostbarkeit auf: ein bezauberndes Büchlein aus rotem Saffian mit einem kleinen goldenen Kugelschreiber.

Als Marthe mit dem kostbaren Stück in ihrer Handtasche nach Hause geht, fühlt sie sich reich, reich durch etwas, das sie noch nie besessen hat. Dieser Terminkalender hat keinerlei Ähnlichkeit mit all den anderen, die ihr Leben begleitet haben: Er gleicht weder dem Haushaltsbuch, das sie für Edmond geführt hat, noch dem Notizbuch mit den Kinderkrankheiten, in dem jeder Ausbruch von Windpocken oder Masern sorgfältig vermerkt wurde, noch den endlosen Verzeichnissen von Lehrmitteln, Büchern, Weihnachts- oder Geburtstagsgeschenken für die ganze Familie.

Der Taschenkalender aus Saffian erfüllt keinen eigentlichen Zweck. Marthe hat ihn nur sich selbst aus herrlich egoistischem, lustvollen Vergnügen zugedacht.

Für das Ritual, und nur dafür. Marthe möchte zum Beispiel, daß von nun an jede

Verabredung in den »Trois Canons« darin eingetragen wird, darin ihren Platz hat.

Während sie weitergeht, fragt sie sich: Soll
sie »Félix« oder »der Mann mit den tausend
Halstüchern« in den Terminkalender schrei-
ben?

Gerade kommt sie an dem Bistro vorbei.
Valentin steht mit dem Geschirrtuch über der
Schulter im Eingang.

»Er ist noch nicht da ...«, flüstert er, als
Marthe auf gleicher Höhe mit ihm ist.

Marthe ist so verdutzt, daß sie nicht weiß,
was sie sagen soll.

»Aber ... es ist doch noch viel zu früh!«
stottert sie.

»Ach so! Ich dachte, es sei schon so weit!«
Mit verständnisvoller Miene wendet sich Va-
lentin wieder seiner Arbeit zu, während er
Marthe heimlich zuzwinkert ...

Verwirrt und ein wenig außer Atem geht
sie schließlich durch den Innenhof ihres Hauses.

Valentins Aufmerksamkeit bringt sie durcheinander. Ihr wird auf einmal bewußt, daß sie
zwischen dem Wunsch, sich zu zeigen, und

der Befangenheit, gesehen zu werden, schwankt, zwischen dem Vergnügen, einen Vertrauten zu haben, und der Lust, geheimzuhalten, was sie erlebt.

Wie dem auch sei, es ist klar, daß der Kellner seine rührende Anteilnahme etwas unauffälliger, um nicht zu sagen taktvoller zeigen könnte, denkt sie, während sie Stufe für Stufe zu ihrem Stockwerk hinaufgeht, ohne das so hilfreiche Geländer loszulassen.

Auf dem Treppenabsatz versperrt ihr Madame Grosliers massige Gestalt den Weg: Sie poliert wie besessen den Messinggriff von Marthes Wohnungstür, ein Eifer, den sie sonst nur in der Woche, bevor es das Weihnachtsgeld gibt, zeigt.

Marthe hat den unangenehmen Eindruck, daß die Concierge in Wirklichkeit nur da ist, um ihr nachzuspionieren ...

Marthe sagt ihr dennoch guten Tag, trotz des unangenehmen Eindrucks, trotz der Atemnot.

»Guten Tag, Madame Marthe. Na, wieder mal unterwegs?« sagt Madame Groslier ironisch.

Marthe fühlt sich ertappt wie eine Schülerin. Ist das etwa eine hinterlistige Bemerkung? Aber, was weiß die Concierge eigentlich? Daß Marthe öfter als sonst das Haus verläßt, und zwar zu Zeiten, die für eine alte Dame mit festen Angewohnheiten und einem ziemlich häuslichen Leben ungewöhnlich sind, das ist alles!

Gekränkt hält Marthe jede Antwort für überflüssig. Sie begnügt sich mit einem rätselvollen Kopfnicken und schlägt der Spötterin die Tür vor der Nase zu, wobei sie sich sagt, daß sie in Madame Groslier vermutlich keine Verbündete hat, aber das hat sie im übrigen schon immer vermutet. Valentin, auch wenn er allzu eifrig ist, kann man wenigstens nicht der geringsten Bosheit verdächtigen. Er ist ein Verbündeter.

All diese Widrigkeiten haben Marthe erschöpft. Die linke Hüfte tut ihr weh. Sie beschließt, einen Mittagsschlaf zu halten, und nimmt das kostbare Notizbuch mit.

Die Verabredung heute abend ist wieder um sieben Uhr, zum viertenmal. Sie hat ihren Kindern Bescheid gesagt: Sie wird die Enkelkinder von sich aus am Mittwochnachmittag anrufen.

Inzwischen hat sie gelernt, die Wartezeit zu nutzen. Sie richtet sich genüßlich darin ein. Sie geduldet sich voller Wonne und Fleiß, schmiedet für sich selbst, für ihn und für sie Sätze, die keine Anwendung finden – weil die Dinge selten so verlaufen wie vorhergesehen –, aber die Wartezeit mit Begeisterung, mit heller Freude erfüllen, denn die Ziffer Sieben auf der Wanduhr ist nun nicht mehr außer Reichweite, im Gegenteil, sie wird immer wieder vorweggenommen und ständig neu erlebt.

Marthe schlägt den Taschenkalender auf. Sie hat den Kugelschreiber in der Hand. Er überläßt sich willig den etwas steifen, etwas krumm gewordenen Fingern. Sie blättert die Seiten um, die unbeschriebenen Blätter eines Scheinlebens, das wie ein Scheinangriff, eine Scheinehe nur fiktiv geblieben, nicht vollzogen worden ist. Es stört sie nicht, den Kalender erst am 27. April zu beginnen.

Hat sie vorher überhaupt existiert?

Neben der Ziffer Sieben notiert sie in ihrer hübschen, wie gestochenen Schrift: »Trois Canons: der Mann mit den tausend Halstüchern.«

47

Sie bewundert ihr Werk, diese erste Seite, auf der endlich etwas von ihr geschrieben steht, diese Worte, die dem Schein ein Ende setzen und die Leere füllen, und zwar nicht nur mit Sinn wie bei den Riesenkreuzworträtseln, sondern mit Gefühlen, Bildern und dazwischen mit dem aufleuchtenden Bild von zwei alten Gesichtern, die sich im Funkeln des Portweins einander zuwenden.

Sie sind alle da, oder fast alle. Paul und seine Frau Lise mit den beiden Jungen auf der einen Seite, Céline mit der kleinen Mathilde auf der anderen. Selbst wenn sie am Tisch sitzen, sind Bruder und Schwester darauf bedacht, ihr Revier abzugrenzen, vor allem seit Célines treuloser Mann immer öfter »Auslandsreisen« unternimmt, ein Euphemismus, von dem sich niemand täuschen läßt – nicht einmal die kleine Mathilde –, aber an den sich Céline aus Selbstachtung klammert, auf die jeder Rücksicht nimmt.

Der Schokoladenkuchen, den Lise gebakken hat, ist ein Gedicht. Célines Rosen sind prachtvoll. Die widerliche Coca-Cola fließt in

Strömen in die Gläser der Kinder. Man beglückwünscht Marthe zu ihrem Kaffee, der, wie betont wird, noch nie so gut war.

Marthe stimmt dem zu und schenkt sich nach.

»Trinkst du jetzt Kaffee?« fragt Céline verwundert.

»Ja ... Seit einiger Zeit schmeckt mir der Tee nicht mehr.«

»Du solltest aber aufpassen«, führt Paul den Gedanken weiter, als hätten sie sich abgesprochen, »vielleicht ist es nicht ratsam ...«

»Meinem Herzen geht es ausgezeichnet! Ich habe das Gefühl, als wäre es ihm noch nie so gut gegangen!«

Marthes Unbekümmertheit und erst recht ihre Bestimmtheit verfehlen nicht ihre Wirkung.

Paul hüstelt: »So meine Lieben, ihr könnt jetzt spielen gehen!«

Während die drei Kinder geräuschvoll den Tisch verlassen, spürt Marthe, wie ihr etwas heiß und kalt den Rücken hinunterläuft. Die Welle, die sie überflutet, ist eine subtile Mischung aus Stolz und Sorge. Wachsam sein. Auf der Hut bleiben.

Von Edmond hat sie wenigstens die Kunst des Ausweichens gelernt, die darin besteht, dem anderen zuvorzukommen.

»Ach übrigens, Céline, ich möchte gern die Vorhänge und die Tagesdecke in meinem Schlafzimmer erneuern. Ich finde sie ... wie soll ich sagen ... ein bißchen altmodisch! Ja, das ist es wohl. Ich brauche ... etwas Fröhlicheres, weißt du, leuchtende Farben, rot oder violett zum Beispiel ...«

»So? ... Na ja! Warum nicht? ... Vielleicht ist beige tatsächlich etwas ...« Sie findet nicht das passende Wort. »Ich will versuchen, mir was einfallen zu lassen ...«

Céline zieht sich zurück. Paul setzt die Unterhaltung fort: »Wir sind froh darüber, daß es dir so gutgeht, Mama, aber ... Madame Groslier hat uns gesagt, daß ... Weißt du, das Viertel ist abends recht unsicher ... Wir machen uns ein bißchen Sorgen bei dem Gedanken, daß du so ganz allein ausgehst ... Das verstehst du doch, nicht wahr?«

Marthe blickt ihre Kinder prüfend an. Es ist tatsächlich das erstemal, daß sie sie aus diesem Blickwinkel, aus dieser neuen Perspektive sieht, als drehe sich das Rad der Zärtlichkeit plötzlich rückwärts, als habe es eine Kehrtwendung, einen Überschlag gemacht. Zwei besorgte, bedrückte Gesichter mit der gleichen Miene, die sie vermutlich als gewissenhafte Mutter den Kindern während ihrer ganzen Jugend gezeigt hat, um sie im Namen der Liebe, der Fürsorge, nicht vom rechten Weg abkommen zu lassen. Wenn Marthe ihre Kinder nicht so lieben würde, hätte sie als gerechten Ausgleich für die jahrelange Mühe die Besorgnis der beiden gern noch ein bißchen, nur ein kleines bißchen länger mitangesehen.

»Macht euch keine Sorgen, meine Lieben ... Außerdem gehe ich nicht allein aus. Ich bin immer in Begleitung.«

Die Besorgnis schwindet aus den Gesichtern der beiden. Statt dessen zeichnet sich Ratlosigkeit ab.

Wieder kann sich Marthe eines gewissen Stolzes nicht erwehren. Ist es nicht köstlich, nach so vielen Jahren der Langeweile seine eigenen Kinder neugierig zu machen?

Kein weiteres Wort darüber verlieren. Das Geheimnis hüten.

Marthe läßt das Schweigen wirken. Ein verbissenes, beklemmendes Schweigen. Ihre Schwiegertochter Lise rettet schließlich die Situation: »Wenn Großmama in Begleitung ist«, verkündet sie, »dann sehe ich überhaupt kein Problem.«

Marthe wendet sich ihrer Schwiegertochter zu, deren lachende Augen vielsagend zwinkern. Lise ist also eine Verbündete. Wie sollte man es auch anders von jemandem erwarten, dem der Schokoladenkuchen und vor allem die Kinder so gut geraten sind, auch wenn Paul, was die Kinder angeht, sein Teil dazu beigetragen hat.

Die kleine Mathilde sorgt für Ablenkung, als sie sich auf den Schoß ihrer Großmutter stürzt. Sie schwenkt den Taschenkalender aus rotem Saffian mit dem goldenen Kugelschreiber wie eine Trophäe durch die Luft.

Marthe spürt, wie ihr das Herz vor Schreck fast stehenbleibt. Wegen der klebrigen Coca-Cola-Finger auf dem nagelneuen Leder, vor allem aber wegen der Indiskretion, des enthüllten Geheimnisses, als halte die kleine Mathilde dadurch, daß sie die unbesiegbarste aller Waffen, die Treuherzigkeit, gewählt hat, gleichsam das Schicksal ihrer Großmutter in ihren Patschhändchen.

»Schenkst du mir dies schöne Buch, Großmama?«

Marthe betrachtet das rührende Gesicht, das zu ihr aufblickt, den verschmierten Mund und die unvergleichlichen Locken, das Kind, dem man nichts abschlagen kann und dem Marthe, allen voran, nie etwas abgeschlagen hat, den engelhaften kleinen Teufel, der schon im Begriff ist, sich mit einem Schokoladenkuß voll klebriger Liebe zu bedanken.

Die Antwort läßt nicht lange auf sich warten und überrascht selbst Marthe, die ihre eigene Stimme kaum wiedererkennt: »Nein, Mathilde. Dieses Buch gehört nicht dir. Ich schenke es dir nicht. Und im übrigen legst du es sofort wieder dorthin, wo du es gefunden hast!«

Mathilde stutzt einen Augenblick, ehe es ihr gelingt, diese neue Sprache zu übersetzen, die die Großmutter ihr nicht beigebracht hat, und da die Kleine offensichtlich den ungewohnt feierlichen Charakter des Ereignisses ermißt, steigt sie wortlos, ohne zu protestieren, so würdevoll wie möglich, vom Schoß ihrer Großmutter, geht an ihren beiden völlig erstaunten Vettern vorbei durch das ganze Zimmer und verläßt selbstbewußt den Raum.

Dabei hätte es bleiben können, doch das Schicksal spielt manchmal gern einen Streich: Und so kommt es, daß ausgerechnet in diesem Augenblick das Telefon klingelt, völlig unvermutet, im unpassendsten Moment.

Marthe, die noch durch ihre ungewohnte Strenge verwirrt ist, schreckt zusammen und preßt die Hand aufs Herz, auf dieses Herz, das ständig beruhigt werden muß, so wie man mit der Handfläche die ängstlich zitternde Schnauze eines vertrauten Tieres streichelt.

Wer kann denn, abgesehen von ihren Kindern, die ja in diesem Augenblick um sie versammelt sind, an einem Sonntag anrufen?

»Ich gehe hin!« sagt Céline.

Ein Moment der Ungewißheit, der Schwebe.

Céline geht auf ihre Mutter zu und sagt: »Für dich, Mama...« Sie zögert... »Ein gewisser... Félix...«

Marthe spürt wieder in ihrer Brust, im Magen, den Einschlag der Kugel, den sanften Biß der Angst: Es ist der Mann mit den tausend Halstüchern, und es ist das erste Mal.

Wenn Marthe den Mut gehabt hätte, wäre sie dieser nur wenige Meter entfernten Stimme entgegengestürzt, auch wenn sie sich natürlich sagt, daß sie lieber allein gewesen wäre, um diesen insgeheim erhofften Augenblick auszukosten. Lieber wäre ihr gewesen, nicht diesen fragenden Blicken, dieser stummen Aufmerksamkeit aller ausgesetzt zu sein und nicht den Eindruck zu haben, überwacht zu werden, aber dennoch ... Dennoch ist es ihr durchaus nicht unangenehm, daß sie alle da sind, als böte sich dadurch die Gelegenheit, mit den Ausweichmanövern Schluß zu machen. Warum soll sie ihnen eigentlich nicht sagen, daß sich etwas geändert hat und sie nicht mehr ganz die Mutter, die Großmutter ist, die sie bisher war? Warum soll sie ihre Familie nicht darauf vorbereiten, sie anders zu sehen und eine Frau namens Marthe zu entdecken, die ein gewisser Félix an einem Sonntagnachmittag zur Kaffeezeit anruft?

Marthes Hand zögert, ehe sie den Hörer ergreift. Ihr »Guten Tag, Félix« klingt herrlich unsicher.

»Sind Sie heute abend frei, Marthe?«

Die Stimme des Mannes mit den tausend Halstüchern dagegen klingt sicher und sehr klar.

»Frei?...Äh...Ich...«

Marthe kann nicht umhin, sich der Tischrunde mit ihren Kindern und Enkelkindern zuzuwenden, als läge die Entscheidung immer noch bei ihnen und nur bei ihnen.

Alle scheinen auf ihre Antwort zu warten. Die Antwort auf eine plötzlich äußerst wichtige Frage. Ist Marthe frei? Kann sie frei über ihr Handeln, ihr Leben verfügen? Ist sie Paul, Céline, Thierry, Vincent, der kleinen Mathilde und Lise gegenüber frei, all diesen geliebten Wesen, die ihr aus lauter Zuneigung solche Fesseln angelegt haben, daß sie sich selbst vergessen und keinerlei Bedeutung mehr zugemessen hat?

Am anderen Ende der Leitung begeistert sich der Mann mit den tausend Halstüchern: »Eine außergewöhnliche Oper...ein traumhafter *Barbier von Sevilla* . . . Ein hervorragender Dirigent!«

Marthe braucht bloß ein Wort zu sagen, aber als sie es aussprechen will, ist schon wieder diese Rührung da und schon wieder dieser sanfte Biß . . . Doch dann ist es geschehen:»Ja, ich bin frei«, sagt sie und legt ihre ganze Überzeugung in diese Worte.

Er kümmere sich um alles! Er hole sie ab! Er sei überglücklich!

Nachdem Marthe aufgelegt hat, braucht sie ein paar Sekunden, um sich zu besinnen. Sie muß erst wieder zu sich kommen. Zurückfinden zu der Kaffeetafel. Zu ihrer Familie, die so verunsichert ist.

Vielleicht wäre es ihr ohne die kleine Mathilde nicht gelungen . . .

Marthe weiß schon jetzt, daß sie nie die strahlende Nachsicht ihrer Enkelin vergessen wird, die sich an sie schmiegt und sie an die Hand nimmt, um sie an den Kaffeetisch zurückzuführen, an dem alle, vom triumphierenden Charme der Kindheit überwältigt, nun lächeln.

Der Abend steht im Zeichen des Rots.

Der karmesinrote Plüsch der Orchestersessel, die schweren Purpurfalten der Vorhänge, die die Bühne einrahmen. Das orangefarbene Kleid Rosinas, deren rosiger Teint das hitzige Blut des jungen Grafen Almaviva zum Sieden bringt, und schließlich Figaro, Figaro der entfesselte Feuergeist, der Brandstifter, der die Herzen entflammt.

Der Abend steht im Zeichen des Rots, weil der Mann mit den tausend Halstüchern den granatfarbenen Schal mit Kaschmirmustern gewählt hat und Marthe von einem stetigen Feuer verzehrt wird, als schüre Rossinis Hauch eine Glut, die seit ihrer Jugend in ihr schwelt und endlich zum Ausbruch gekommen ist.

Es ist das erstemal, daß Marthe in die Oper geht, das erstemal, daß sie sieht, wie die Liebe besungen wird. Edmond hatte sie vor allem an Kantaten und Psalmen gewöhnt. Edmond der Frömmler, der gestrenge Edmond ...

Die Koloraturen Rosinas, die von Vibrati schwellende Kehle ergreifen Marthe zutiefst, und als sich die Liebenden in einem Duett zusammenfinden, entreißt das entfesselte, harmonische Crescendo Marthe leise Schreie der Erregung. Sie hätte nie gedacht, daß sich zwei Wesen durch die Anmut eines Akkords oder einer gemeinsamen Modulation auf dem spitzen Gipfel eines Trillers oder eines Oktavensprungs vereinigen könnten.

Der Mann mit den tausend Halstüchern neben ihr scheint ebenso gepackt zu sein. Auch er hat Feuer gefangen, glüht vor Begeisterung.

Manchmal legt er die Hand auf Marthes Handgelenk, entweder um sie auf eine unmittelbar bevorstehende Gefühlserregung vorzubereiten, ja hinzuweisen, oder um deren Wirkung bis zum Augenblick höchster Resonanz mitzuverfolgen, wenn sich die Klänge erheben und über den ergrauten Köpfen der beiden ersterben.

Wenn Marthe ein leiser Schrei entschlüpft, wendet sich Félix ihr zu und wirft ihr einen stolzen Blick zu, als habe er etwas zu dieser Regung beigetragen, selbst diese Musik komponiert, um ihr genau diesen leisen Schrei zu entlocken.

Am Ende des ersten Akts bleibt seine Hand auf ihrem Handgelenk liegen – wegen der überwältigenden Schönheit, der allgemeinen Fröhlichkeit.

Und wieder spürt sie die Schwere und die verwirrend feuchte Wärme dieser Hand, wie an dem Tag, als sie sich beide auf Grund der gleichen Befürchtung vor den »Trois Canons« trafen und er ihren Arm durch den leichten Stoff aus blauer Kreppseide hindurch ergriff. »Das also ist eine Männerhand«, hatte sich Marthe damals gesagt, denn sie konnte sich nicht daran erinnern, eine andere Hand gespürt zu haben, die so kräftig und zugleich so sanft war.

Die Pause beginnt.

Marthe ist wie betäubt. Der rasende Rhythmus der Leidenschaften, der ungezügelte Schalk Figaros, die ansteckende, feurige Fröhlichkeit der Musik und die plötzliche Lichterflut, die den Opernsaal hell erleuchtet: Von all dem dreht sich Marthe der Kopf.

Unter dem Ansturm dieser Empfindungen ist ihr leerer, blauer Himmel wie eine Seifenblase geplatzt. Sie hat den Eindruck, sie lerne heute abend zum erstenmal die Intensität der Dinge, die Glut der Welt kennen. In ihrem Kopf dreht sich alles, wie wenn sie früher als Kind im eisigen Jardin du Luxembourg auf der Schaukel zu hoch hinaufschwang und ihre blau gefrorenen, von der Anstrengung steif gewordenen Beine vom Schwindel zitterten.

Und vor allem ist ihr warm. Sie, die nie schwitzt, ist plötzlich schweißgebadet. Ihr ganzer Körper ist kochend heiß, eine pulsierende Hitze, die jedes Pochen ihres aufgerüttelten Herzens, das Funken der Fröhlichkeit und des Lachens durchzucken, begleitet.

Die Pause beginnt, und der Mann mit den tausend Halstüchern trocknet sich die Stirn, ohne ein Wort zu sagen. Marthe ist ihm für dieses Schweigen dankbar, und auch dafür, daß ihm ebenfalls so warm ist.

Neben ihr, neben ihm, rühren sich die Leute, geben Kommentare ab, stehen auf, steigern das Fieber. Dann leert sich der Saal. Nur die beiden bleiben noch etwas verwirrt, schweißnaß vor Erregung, eine Weile sitzen, um die Verzückung nicht abbrechen zu lassen, um den Aufruhr noch weiter zu genießen. Miteinander. Ohne die anderen.

Marthe betrachtet ihr Handgelenk, diesen zierlichen, verbrauchten Teil ihrer selbst, zerbrechlich wie Glas. Es gehört ihr nicht mehr ganz. Sie hat es weggegeben, ohne sich Fragen zu stellen, und sogar ohne zu fürchten, daß es zerbrechen könnte.

Glas fürchtet keine Glut.

Und Marthe will glühen, wie mit Rossini – und in seiner Glut.

Der Taschenkalender aus Saffian füllt sich immer mehr.

Morgens nach dem Kaffee hält Marthe das Rendezvous des Vortags darin fest. Wenn sie die Seiten des Büchleins umblättert, muß sie bei diesem Fest, das kein Ende nimmt, an ein glitzerndes Karussell denken. Ausstellungen lösen Konzerte, Spaziergänge Verabredungen ab.

Manchmal kommentiert sie das Ereignis mit einem Satz oder einem einfachen Adjektiv. »Wunderschön«, »herrlich«, »einzigartig«, »eine wahre Freude« sind die Worte, die sich am häufigsten in dem roten Büchlein wiederholen; aus einem Reflex, den Edmond sicherlich als romantisch bezeichnet hätte, legt sie kleine Andenken an ihre Streifzüge hinein: das Blütenblatt einer Blume, die sie vom Tisch eines Cafés entwendet hat, die Eintrittskarte zu einem Museum . . .

Diese winzigen Gegenstände sind die Trophäen eines Sieges, den sie über die verlorenen Jahre errungen hat, jene mit Verpflichtungen und nicht zuletzt mit Langeweile vergeudeten Jahre.

Das ist Marthes Vergeltung für das junge Mädchen, dem jede Phantasie verboten war und das sich mit dem Farblosen abfinden mußte, obwohl alles in Marthe nach Leidenschaft, nach strahlendem Glanz strebte.

Ein junges Mädchen. Denn ganz wie ein junges Mädchen erforscht Marthe nun die unzähligen Facetten des Mannes mit den tausend Halstüchern. Er ist unberechenbar wie seine Schals, bringt Marthe durch Unvermutetes zum Staunen. Was er sagt, was er tut, kurz gesagt, was er ist, bringt sie zum Staunen. Allein schon seine Anwesenheit ist für sie ein Erlebnis.

Der Mann mit den tausend Halstüchern bietet ihr ein ständiges Schauspiel, Überraschung ist garantiert, Unerwartetes selbstverständlich.

An seiner Seite erkundet Marthe immer neue, ebenfalls unvermutete Sinnesreize, als habe sich der feine, geheimnisvolle Mechanismus ihres Empfindungsvermögens plötzlich wieder in Gang gesetzt, ohne jemals vorher wirklich benutzt worden zu sein – er ist sozusagen noch neu –, vielleicht weil Edmond den Schlüssel dazu abgezogen hatte, vielleicht weil Edmond, obwohl er ein annehmbarer Ehemann und Vater gewesen war, sie nicht davon überzeugt hatte, daß er einfach auch ein Mann war.

Die Fülle von Empfindungen genügt Marthe. So sehr, daß sie sich bisher kaum jemals die Frage nach ihren Gefühlen gestellt hat. Was weiß sie im übrigen schon von Gefühlen? Sie erinnert sich daran, daß sie als kleines Mädchen ihre Mutter geliebt hat, bevor diese einer Krankheit zum Opfer fiel. Sie kann auch sagen, daß sie ihre Kinder und ihre Enkelkinder liebt. Aber mehr weiß sie nicht.

Sie gibt sich mit einfachen, schlichten Gemütsbewegungen zufrieden, die schon anstrengend genug sind, auch wenn Marthe danach geradezu dürstet.

Es kommt nicht selten vor, daß ihr von den vielen Eindrücken des Tages der Kopf schwirrt, wie an jenem Abend, an dem sie den *Barbier von Sevilla* gesehen haben. Dann geht sie befriedigt, wenn auch todmüde zu Bett und schläft ein, ohne daran zu denken, ihre Medikamente zu nehmen. Die Folgen davon spürt sie in der linken Hüfte. Und was mit ihrem Herzen ist, entzieht sich ihr völlig, verwirrt sie so sehr, daß sie sich fragt, ob es nicht ratsam wäre, mit Dr. Binet darüber zu sprechen. Wenn ihr Herz nicht, mitgerissen von der Begeisterung über eine Theatervorstellung oder ein Abendessen mit Wein, munter und kräftig schlägt, sträubt es sich, als wolle es Marthe an ihre Pflicht, an ihr Altdamendasein erinnern, dessen Widersprüchlichkeit sie jetzt nur noch unwillig hinnimmt. Was hat dieser erschöpfte Körper, der sie hemmt und hindert, mit der Leichtigkeit ihrer Seele gemein, die zu allen kühnen Taten bereit ist?

Daher legt Marthe, bevor sie eine Treppe hinaufgeht oder sich aus einem zu tiefen

Sessel erhebt, beide Hände auf die Brust, gleichsam um dieses Herz zu ermutigen, ihr zu folgen, um es zu bitten, sich der Situation gewachsen zu zeigen.

Diese Geste ist weder dem Mann mit den tausend Halstüchern noch dem Hund entgangen. Beide respektieren sie diese Momente des Schwankens, in denen Marthe das Bedürfnis hat, sich zu besinnen, wieder Kräfte zu sammeln. Als sei nichts geschehen, zupft Félix dann sein Halstuch zurecht, und der Hund kratzt sich am Ohr, und beide werfen sich einen irgendwie verständnisvollen Blick zu – denn auch sie sind alt, erschöpft –, und schon setzt sich das Trio wieder mühsam in Bewegung, um sich in ein neues Vergnügen zu stürzen.

Zu dritt erschöpft zu sein, entbehrt nicht eines gewissen Charmes. Die Müdigkeit verpflichtet zu Nachsicht, ja zu Zärtlichkeit. Es kommt oft vor, daß sie sich bei einem Spaziergang auf einer Bank eng aneinanderschmiegen, Pfoten und Hände übereinanderlegen und sich die Zeit damit vertreiben, nichts zu tun, nichts zu sagen und ein wenig zu verschnaufen, bis der Mann mit den tausend

Halstüchern wieder das Signal zum Aufbruch gibt und bei Marthe und dem Hund mit dem Vorschlag, etwas zu unternehmen, augenblicklich Begeisterung hervorruft.

Aber trotz all dieser Ausflüge und Unternehmungen hat Marthe eine Vorliebe für die Verabredungen in den »Trois Canons«, wo die beiden ihren Tisch haben. Denn dort und nicht anderswo macht ihr der Mann mit den tausend Halstüchern den Hof.

Wenn er den Hund zu Hause läßt, sagt sich Marthe, daß er wohl einen galanten Hintergedanken hat, erst recht, wenn er ohne Schal, mit entblößtem Hals in das Bistro kommt, als ob die nackte Haut und das Eingeständnis des Alters das Herz zu entblößen vermöchten und es sich so leichter ausschütten ließe.

Der Mann mit den tausend Halstüchern spricht Sätze aus, die Marthe noch nie gehört hat. Es sind eher Komplimente, doch so formuliert, daß Marthe nicht nur gerührt, sondern zugleich verwirrt ist. Und diese Verwirrung richtig einzuordnen, fällt ihr schwer, vermutlich weil sie nicht recht begreift, wodurch diese ausgelöst wird.

Manchmal meint sie, die Verwirrung im Kopf, manchmal in der Magengrube zu spüren, genau an der Stelle, an der ihr die Angst einen sanften Biß versetzt hat.

Denn die Verwirrung bekommt man wie wunderbar starke, lustvoll flüchtige Seitenstiche der Seele.

Und dann sind da noch die Geschenke. Wenn Marthe das Päckchen öffnet, rast ihr Herz, hämmert. Das Knistern des Papiers übertönt den Lärm in den »Trois Canons«. Es scheint sogar, daß alle im Bistro verstummen, um auf das Knistern zu horchen.

Unter den zärtlichen, belustigten Blicken des Mannes mit den tausend Halstüchern löst sie mit hochroten Wangen das Band und hat den Eindruck, ein Kleid aufzuknöpfen.

Bei solchen Gelegenheiten ist Valentin stets in der Nähe. Er bewundert dann die Überraschung und bringt den zweiten Portwein.

Unter den manchmal recht ausgefallenen Geschenken befinden sich oft Porträts, die Marthe mit einem Hut darstellen, meist Rötelzeichnungen, auf denen sie eine auffallende Ähnlichkeit mit Céline hat.

»Das ist sehr hübsch. Man könnte glauben, es sei meine Tochter«, sagt Marthe.

Die Antwort des Mannes mit den tausend Halstüchern ist stets die gleiche: »Genauso sehe ich Sie. Das sind Sie, Marthe.«

*

Im Guckloch der Tür taucht die gestikulierende Madame Groslier mit ihrem feisten, aufgedunsenen Gesicht auf. Marthe bleibt keine andere Wahl. Sie muß dem Drachen öffnen, der die Klingel einzudrücken droht ...

Die Concierge verwandelt ihre Grimasse in ein Lächeln oder etwas, das einem solchen ähnelt, und sagt: »Das hier hat *man* für sie abgegeben ... Ich soll es Ihnen persönlich übergeben, wie *man* mir ausdrücklich gesagt hat.«

Dieses »das hier« ist ein mit einem roten Band verschnürtes flaches Päckchen. Und das nachdrückliche, zugleich ein wenig spöttische »man« dürfte, wie Marthe sofort weiß, einem alten Herrn gelten, einem Künstler in brauner Kordjacke und mit einem originellen Schal.

Marthe betrachtet die Concierge. Es müßte Boten geben, denen bestimmte Sachen vorbehalten sind, Boten mit himmlischen Gesichtern, wie zum Beispiel Botticellis Engel der Verkündigung, den der Mann mit den tausend Halstüchern zeremoniell in seinem Zeichenheft aufbewahrt.

Marthe bedankt sich und entreißt das Päckchen den gottlosen Händen.

»Ist das ... ist das ein Freund von Ihnen?« fragt die Schnüfflerin neugierig.

»Ja, so kann man das nennen: ein Freund! ... Auf Wiedersehen, Madame Groslier ...«

Marthe ist ganz gerührt ...

Heute abend sind sie nicht verabredet, denn er muß mit dem Hund wegen einer »in seinem Alter beunruhigenden« Appetitlosigkeit zum Tierarzt gehen, hatte der Mann mit den tausend Halstüchern ein wenig besorgt erklärt.

Keine Verabredung und dennoch ist Félix jetzt durch dieses Geschenk bei ihr, das sie sogleich voller Ungeduld auspackt, auch wenn

Valentin nicht da ist, um die Sache mit ihnen zu feiern ...

Marthe öffnet das Päckchen auf dem Küchentisch, zwischen der Schale mit Apfelmus und dem Nähkästchen, das sie schon lange wegräumen wollte, da sie seit Wochen nicht mehr genäht hat, obwohl sich die Flickarbeit häuft, ein Zeugnis ihrer Unbekümmertheit und ihres Zeitmangels.

Und wieder rast ihr Herz.

Eine Schallplatte, und was für eine! Eine alte Aufnahme mit Auszügen aus dem *Barbier von Sevilla*. Und auf der Plattenhülle eine aufreizende, glühende Rosina, zu der, wie man deutlich an der abgegriffenen Pappe erkennen kann, Félix lange ein inniges Verhältnis gehabt hat.

Es ist also *seine* Platte, die viel kostbarer ist als irgendeine neue Platte. Es ist *seine* Rosina, seine leidenschaftliche Rosina, die er Marthe schenken will, also gleichsam ein Teil seiner selbst, aber natürlich schenkt er ihr sie auch, um die Verzückung, die sie bei ihrem ersten gemeinsamen Opernbesuch vereint hat, noch andauern zu lassen, damit sich Marthes Handgelenk erinnert und das entfesselte, harmonische Crescendo der besungenen Liebe jetzt in ihr Haus eindringt, nachdem es seines erfüllt hat.

Marthe ist völlig durcheinander, ihr Herz gerührt.

Aber das ist noch nicht alles. Mitten auf den Röcken der hübschen Rosina ist noch ein Briefumschlag auf der Papphülle befestigt.

Der erste Brief. Die ersten von seiner Hand geschriebenen Worte, seiner Hand, die zeichnet, die *sie* zeichnet, der Hand, die den Hund streichelt und die manchmal mit dem Portweinglas zittert.

Die einzigen Briefe, die Marthe bewegen, sind die Briefe ihrer Enkelkinder, die Ansichtskarten, die sie während der Ferien von ihnen erhält, oder die Buntstiftzeichnungen voll unbeholfener Zärtlichkeit. Marthe hat sie alle in Schachteln aufbewahrt, mit Namen beschriftet, um sie den Kindern später zurückzugeben, denn die Kinder haben nicht verfolgen können, so wie ihre Großmutter von ihrem privilegierten Platz als Großmutter, wie sie aufgewachsen sind.

Den Brief eines Mannes zu öffnen, eines Mannes, der zum erstenmal schreibt und der weder ein Ehemann noch ein Sohn noch ein Beamter der Pensionskasse ist ... Den Brief des Mannes mit den tausend Halstüchern zu öffnen, erfordert eine gewisse Behutsamkeit, sowohl was den Brief angeht, wie auch die Frau, an die er gerichtet ist und die so zerbrechlich ist wie ihr Handgelenk.

Marthe holt also ihren elfenbeinernen Brieföffner aus dem Sekretär im Schlafzimmer und seufzt dreimal auf, verschieden, beschwörend, denn der Biß der Angst ist nicht mehr ganz so sanft. Sie spürt die kleinen scharfen Zähne wie in dem Moment, wenn der Hund ihr spielerisch in die freundliche Hand zwickt, die ihm die Schnauze streichelt, um daran zu erinnern, daß er trotz allem ein Hund ist.

Was sie liest, wird gelesen. Wiedergelesen. Was sie liest, kann nicht gesagt werden. Kann nicht erzählt werden. Was sie liest, spricht ihren Kopf an, ihren Körper, ihre eingeschlafenen Sinne, die ein Ritter erweckt.

Diesen Brief hätte sie mit siebzehn Jahren erhalten sollen – bevor ihr Vater sie mit

Edmond verlobte –, von einem anderen als Edmond, von dem Ritter, den sie sich gewünscht und auf den sie immer gewartet hat, bis heute.

Marthe hat soeben ihren ersten Liebesbrief erhalten. Sie ist siebzig Jahre alt.

Der altertümliche Plattenspieler befindet sich in Edmonds früherem Arbeitszimmer, das sich in eine Rumpelkammer verwandelt hat, in der Koffer, Haus- und Küchengeräte, sperrige Gegenstände, Marmeladengläser, Konservendosen, unlesbare Bücher, Festtagsgeschirr, zerbrochenes oder abgelegtes Spielzeug sowie die schon erwähnten Pappschachteln aufbewahrt werden, die für Thierry, Vincent und Mathilde bestimmt sind und die, wie Marthe unschwer errät, in regelmäßigen Abständen gründlich durchsucht werden, da dieser Raum ihren Enkeln sonntags nach dem Kaffee als Zufluchtstätte dient.

Marthe hat also in Edmonds altem zerschlissenen Sessel zwischen Puppen ohne

Arme und einem ausgedienten Ventilator die Auszüge aus dem *Barbier von Sevilla* gehört.

Mehr als einmal hat sie die Augen geschlossen, mehr als einmal hat sie den glitzernden Opernsaal, die leidenschaftlichen Stimmen, die strahlende Sinnlichkeit der Musik erlebt. Sie ist erneut gepackt, hat erneut ihr Handgelenk der gemeinsamen Ergriffenheit überlassen.

Der geöffnete Brief auf ihren Knien hat die Worte zum Tanzen gebracht.

Rosina hat den Reigen angeführt, ist in ihren glitzernden Röcken im Kreis umhergewirbelt.

Der Liebesbrief, gelesen und wiedergelesen, hat Marthe auf den Knien gebrannt.

Das hat wohl das Feuer ausgelöst, dieses Übermaß an Erinnerungen, diese Funken ... Am nächsten Morgen mußte Dr. Binet gerufen werden.

Paul hat das wegen des Fiebers und der seltsamen Erregung seiner Mutter veranlaßt. Sie weiß nicht, was die beiden Männer auf dem Flur besprochen haben. Sie bleibt auf der Hut.

Paul ist bei der Untersuchung zugegen. Der Arzt, der anfangs recht besorgt wirkt, entspannt sich nach und nach. Schließlich wendet er sich an Paul und sagt: »Nun, mein junger Freund, diesem Herzen scheint es ausgezeichnet zu gehen ... Viel besser als beim letzten Mal, das muß ich schon sagen ... Eine kleine Erkältung, das ist alles!«

»Eine kleine Erkältung?« Marthe hat eher den Eindruck, einen Hitzschlag erlitten zu haben, wenn sie an ihren ausgelassenen Musikabend denkt. Aber da sie sich vor allem um ihr Herz ängstigt, ist sie froh, daß sich der Arzt darüber keine Sorgen macht.

»Ich finde Sie sind ... wie soll ich sagen ... eher in Hochform, Madame Marthe!« sagt der Doktor mit Nachdruck.

Auch Paul ist beruhigt, selbst wenn ihn das Wort »Hochform« ein wenig überrascht zu haben scheint.

»Dr. Binet«, sagt Marthe zögernd, »könnte ich Sie kurz ... allein sprechen? ... Entschuldige, mein lieber Paul«, fügt sie für ihren Sohn hinzu, den sie nicht kränken will.

Paul zieht sich bereitwillig zurück ...

»Also, Herr Doktor . . . Ich muß Ihnen noch sagen . . .«

Marthe seufzt, senkt die Stimme. Manche Geständnisse können nur geflüstert werden. Und dieses gehört dazu.

»Also, Herr Doktor . . . Der Zufall will, daß ich . . . jemanden kennengelernt habe, mit dem mich etwas verbindet, das man wohl als . . .«

Sie zögert, sucht das Wort, ein Wort, das ihr nie über die Lippen gekommen ist, nie ihr Herz berührt hat und das sie ebenso genüßlich aussprechen wird wie das Wort »Verabredung«, das Wort mit dem Karamelgeschmack: ». . . *Zuneigung* bezeichnen muß! Ja das ist es. Zuneigung . . . Und daher wollte ich wissen . . . wie soll ich sagen . . . ob vom medizinischen Standpunkt gesehen . . .«

Marthe drückt sich das Bettjäckchen aus himmelblauer Wolle an die Brust, gleichsam aus Scham, wie ein junges Mädchen, das sich scheut, zuviel von sich selbst preiszugeben, sowohl äußerlich wie innerlich.

Dr. Binet, der gewöhnlich recht zurückhaltend ist, hat sich auf das Fußende des Bettes gesetzt. Ein alter Arzt, verwitwet wie Marthe, zwar ein Mechaniker in Sachen Körper, durch langjährige Erfahrung aber auch ein guter Seelenkenner.

Er betrachtet Marthe so fürsorglich und liebevoll, wie sie ihn selten gesehen hat, bis auf das eine Mal, als er vor vier Jahren an einem Sonntagnachmittag mitten beim Kaffee gerufen worden war, weil bei Céline der dringende Verdacht einer Fehlgeburt bestand, eine Gefahr, der die kleine Mathilde zum Glück erfolgreich widerstanden hat.

»Ich wüßte nicht, Madame Marthe, was vom medizinischen Standpunkt aus gegen ›Zuneigung‹ zu jemandem einzuwenden wäre. Übrigens, wie alt ist denn . . . der Herr?«

»Ich weiß nicht so recht, Herr Doktor. Älter als ich, nehme ich an, aber noch so jugendlich, Herr Doktor, so . . . Er ist Künstler, verstehen Sie?«

»Ausgezeichnet, meine Liebe! Sie gestatten doch, daß ich Sie ›meine Liebe‹ nenne? All das finde ich ausgezeichnet! Ich muß sogar sagen (Dr. Binet steht auf und packt seine Instrumente ein), ich muß Ihnen sogar sagen, daß ich Sie beneide!«

Dr. Binet verläßt summend das Schlafzimmer, während Marthe vor Freude und vor Verwirrung errötet.

Paul begleitet Dr. Binet durch den Flur zur Tür. Marthe hört, wie die beiden ein paar Worte wechseln ...

Als ihr Sohn ins Schlafzimmer zurückkommt, wirkt er ziemlich ratlos.

»Ein Fieber, das auf keinen Fall behandelt werden soll, was soll das denn heißen?«

Marthe schlägt die Augen nieder. Sie zieht ihr wollenes Bettjäckchen ein wenig enger um die Brust und sagt: »Also, Paul ... Weißt du ... Ich habe jemanden kennengelernt, und ...«

Paul nähert sich dem Bett seiner Mutter. Seit dem Tag, an dem sie zugesehen haben, wie Edmonds Sarg über der ausgehobenen Erde hinabgelassen worden ist, hat er sie nie wieder so angesehen.

Er ergreift ihre Hand und sagt: »Aber warum hast du mir das denn nicht gesagt, Mama ... Ich hätte das durchaus verstanden, weißt du ...«

»Ich ... Ich habe es nicht gewagt ... Vielleicht wegen deines Vaters ...«

Die Antwort, die der Sohn der Mutter gibt, schlägt ein wie ein Blitz: »Wir haben uns mit Papa viel gelangweilt, nicht wahr?«

»Allerdings, mein Junge ...«

Marthe hat keine bessere Antwort auf diese eindeutige Feststellung gefunden.

Paul, der es plötzlich wieder eilig hat oder aber über seine eigene Rührung leicht verärgert ist, zieht den Mantel an.

Auf der Türschwelle wendet er sich um und ruft lachend: »Das kostet mich eine Flasche Champagner!«

»Nanu! Warum denn das, mein lieber Paul?«

»Lise hat gewonnen. Sie hat mit mir gewettet, daß du verliebt bist! ...«

Verliebt? ... Es erfordert mindestens drei Tage Fieber, bis sich Marthes Körper auf diese unglaubliche, berauschende Gewißheit eingelassen hat.

Marthe geht durch die Stadt.

Ein Erholungsspaziergang nach einem harmlosen, segensreichen Leiden.

Das Fieber ist zurückgegangen, doch an dem Leiden hängt sie: Sie hofft, daß sie nie von dieser unglaublichen, berauschenden Gewißheit genesen wird, die ihr eigener Sohn diagnostiziert und benannt hat.

Weil sie verliebt ist, hat sie plötzlich Lust, morgens über die Boulevards zu schlendern ...

Sie muß das Leben wittern, Paris wittern. Sich aus ihrem Viertel entfernen, den vertrauten Spuren entfliehen. Die Stadt erforschen, sie aus nächster Nähe empfinden, diesen

Pulsschlag mit ihrem nagelneuen Herzen spüren, in dem ein anderer wohnt. Sich anders in dieser Stadt bewegen, auch wenn sie sich nicht ganz dem Rhythmus, dem allgemeinen Schwung anpaßt, der die Leute antreibt. Daß die Menge hinter ihr ins Stocken gerät und ungeduldig wird, stört sie kaum.

Geliebt zu werden und zu lieben, führt sie, geleitet sie, unbekümmert und gelassen, auf den Boulevard, der nichts von ihrer heimlichen berauschenden Krankheit weiß, von ihrem segensreichen Leiden.

Die Luft ist lau. Marthe trägt ihr dunkelblaues Kleid aus Seidenkrepp, ihre Baumwollstrümpfe, ihren blauen Hut, ihre Netzhandschuhe, ihre kleine Handtasche aus geflochtenem Leder, und darin befindet sich das Notizbuch aus rotem Saffian, in das sie schon die Verabredung für den heutigen Abend in den »Trois Canons« eingetragen hat, gut sichtbar nach den drei unbeschriebenen Seiten, den drei Fiebertagen ohne Treffen, ohne Rendezvous, es sei denn mit sich selbst.

Bedächtig setzt Marthe ein Bein vor das andere, sehr gewissenhaft, schön im Takt, mit wohlbemessenem Druck des Fußes auf den Gehweg und sanftem Wiegen des Körpers, den Kopf ein wenig geneigt ...

Sie denkt nach. Sie fragt sich, welche Worte wohl heute abend zuerst ausgesprochen werden und von wem.

Wenn sie den linken Fuß auf den Asphalt setzt, spürt sie das leichte Stechen in der linken Hüfte. Sie ist diesem Schmerz nicht böse. Man kann nicht alles abstreifen. Irgend etwas muß bleiben, warum also nicht das Stechen, das ihr im Grunde nach so vielen Jahren unvermeidlichen Zusammenlebens so vertraut geworden ist?

Paris weiß nichts von ihr, von ihrem Geheimnis. Sie geht bedächtig weiter ...

Zunächst ist es bloß ein Schatten an ihrer Seite, dann wird der Eindruck deutlicher: Jemand zögert. Verlangsamt den Schritt.

Eine Frau.

Auf dem Boden zeichnet sich ein Umriß ab, eine Silhouette in kurzem Kostüm und mit langen Haaren, Haaren, die im Wind flattern.

Die Frau hält inne. Auch sie scheint sich nicht daran zu stören, daß die Menge ins Stokken gerät, ungeduldig wird.

Warum geht diese Frau nicht weiter? Warum bleibt sie an Marthes Seite?

Es gibt keine Antwort auf diese Frage, doch der Spaziergang, Seite an Seite, dauert eine Weile. Eine ganze Weile.

Marthe stört sich nicht an diesem Einvernehmen mit der Unbekannten. Der Spaziergang ist wie ein Austausch, ein stummes Zwiegespräch.

Doch dann stockt die Frau einen winzigen Moment, der Marthe veranlaßt, sich ihr zuzuwenden, sie endlich anzusehen ...

Das Rot ist dominierend und das glänzende schwarze Haar. Doch nicht irgendein Rot! Sondern das Rot des Klatschmohns, eine Farbe, die Marthe sogleich wiedererkennt. Ihre Farbe, ihre Lieblingsfarbe. Die verbotene Farbe.

Fünfzig Jahre sind mit einem Schlag aufgehoben. Fünfzig Jahre einer Mauer aus grauem Sand, denn die unbekannte Frau trägt eine klatschmohnfarbene, weit ausgeschnittene leichte Bluse, die erstaunliche Ähnlichkeit mit jener hat, die Marthe im Sommer vor ihrer Verlobung mit Edmond fast jeden Tag trug, bevor diese Bluse erbarmungslos aus ihrer Garderobe verbannt worden war.

Trotz der Verwirrung in ihrem Herzen, trotz der Rührung spürt Marthe, wie sie aus unerklärlichen Gründen lächelt.

Sie lächelt dieser Unbekannten zu. Lächelt deren Freiheit zu, bejaht sie.

Und die Klatschmohnfrau lächelt zurück, irgendwie zustimmend, als bejahe auch sie etwas in Marthe.

Ihre Wege trennen sich wieder ...

Was ist aus der verpönten Bluse geworden? Hat Marthe sie weggeworfen oder sie damals einer ihrer Freundinnen geschenkt? Sie hat es vergessen.

Klatschmohn, sagt man, sei die Blume des Begehrens.

Sollte Marthe auf der Straße dem Begehren begegnet sein, dem klatschmohnroten Begehren?

Hätte Marthe wohl ohne die Klatschmohnfrau beim Verlassen der »Trois Canons« zu-
gestimmt, den Mann mit den tausend Halstüchern nach Hause zu begleiten, um, fest auf
dessen Arm gestützt, angeblich den Hund zu
besuchen, der wieder einmal nicht fraß?

Hätte Marthe wohl ohne die Klatschmohnfrau jetzt halb ausgestreckt auf diesem alten Sofa mitten in einem spartanisch einge-
richteten Atelier gelegen und sich über einen
Imbiß aus Gänserillettes und Chianti her-
gemacht, nachdem sie Hut und Handschuhe
abgelegt und sogar die Schuhe ausgezogen
hatte?

Doch da ist sie, und das tut sie.

Das Atelier ist so leer wie ihr Kopf. Eine Leere nicht aus Mangel, sondern im Gegenteil wegen allzu großer Fülle, wegen Träumereien, die sich nicht fassen lassen.

Kurz gesagt, Marthe hat vergessen, wer Marthe ist.

Ihr gegenüber, in einem mit Farbe beklecksten Schaukelstuhl, sitzt Félix und betrachtet sie unverwandt.

Seine Augen glänzen wie kurz zuvor die Augen des Hundes, als Marthe sich über das Tier gebeugt und ihm die Hand auf die trokkene Nase gelegt hat.

Bevor der Hund mit einem Seufzer die Augen schloß, hatte er dankbar die Fingerspitzen der Besucherin geleckt. Er schien sich über ihr Kommen zu freuen.

Marthe, die sich mit Seufzern auskennt, sagte: »Der Hund seufzt, weil ihn das Leben ermüdet. Er leidet nicht.«

Der Mann mit den tausend Halstüchern antwortete nicht. Auch er dürfte diese Seufzer kennen, da er genauso alt ist wie der Hund ...

Marthe kann sich nicht daran erinnern, eines Tages so lange angesehen worden zu sein, außer vielleicht von ihrer Mutter, die zu betrachten verstand und die äußere Hülle zu sprengen vermochte, um ins Innere vorzudringen.

Marthe vermutet, daß ihre Mutter, die ihre Tochter sehr genau kannte, viel gelitten haben muß, als sie Marthe einem Vater überließ, der kurzsichtig genug war, sie später einem Edmond zu geben.

Der Mann mit den tausend Halstüchern scheint ihre Gedanken zu lesen. Er bricht das Schweigen: »Hat man Ihnen schon gesagt, wie schön Sie sind?«

Mit siebzig Jahren ziert man sich nicht. Man glaubt aufs Wort und vertraut ehrlichen Antworten. Daher forscht sie wirklich in ihrem Gedächtnis nach. Hat man ihr je gesagt, sie sei schön?

Was Edmond betrifft, ist die Sache klar: nein. Und die anderen? So sehr sie auch überlegt . . .

Doch, da ist jemand! Mathilde! Erst in der letzten Woche, als Marthe ihr langes Haar bürstete, bevor sie es zu einem Knoten aufsteckte, hat die Kleine ihr Gesicht in die weiße Mähne getaucht und losgeprustet: »Was bist du schön,

Großmama!« Marthe erinnert sich, daß sie das Kind fest an sich gedrückt und dabei unwillkürlich an den Mann mit den tausend Halstüchern gedacht hat. Das war kurz vor dem Fieberanfall gewesen, dem Liebesfieber ...

»Meine Enkelin Mathilde hat es tatsächlich vor kurzem zu mir gesagt ...«

Der Mann mit den tausend Halstüchern erwidert lächelnd: »Aber wenn ich das zu Ihnen sage, ist das doch nicht ganz dasselbe, oder?«

Marthe betrachtet ihre Baumwollstrümpfe, die ohne die Schuhe so nackt wirken. Sie sieht alles nur noch verschwommen. Das muß wohl vom Chianti kommen oder von den Gänserillettes.

Sie denkt wieder nach. »Ja, nicht ganz ... das stimmt allerdings«, gesteht sie mit etwas schwankender Stimme.

Die Augen des Mannes mit den tausend Halstüchern leuchten jetzt. Marthes Lippen sind trockener als die Nase des Hundes, der vor ihren Füßen liegt und im Schlaf seufzt.

»Eines Tages möchte ich Sie auf diesem Sofa malen, Marthe, Sie sind doch damit einverstanden?«

Diesmal schwankt die Stimme des Mannes mit den tausend Halstüchern. Sein altes Gesicht glüht im rötlichen Widerschein der Vorhänge, die er beim Betreten des Ateliers zugezogen hat, um den Raum abzuschirmen oder vielleicht auch die Zeit.

Er nimmt seinen Schal ab. Den granatfarbenen Schal mit Kaschmirmustern.

Marthe fragt sich, ob sie von all seinen Halstüchern nicht dieses besonders mag, doch vor allem wird ihr bewußt, daß er den Schal zum erstenmal in ihrem Beisein ablegt.

Dieser Gedanke verwirrt sie zutiefst. Sie glaubt zu spüren, wie ihr Herz zu rasen beginnt, und sie fühlt sich gezwungen, etwas zu sagen, damit das Herz an der richtigen Stelle und im richtigen Rhythmus bleibt.

Der Mann mit den tausend Halstüchern steht mit entblößtem Hals neben dem Sofa, hält den Schal in der Hand. Nur der Hund trennt die beiden, doch er seufzt nicht mehr. Er scheint zu horchen.

»Darf ich Sie etwas fragen?« sagt Marthe, um etwas zu sagen.

»Ja, natürlich.«

»Wissen Sie, wie ich Sie nenne, wenn ich an Sie denke?«

»Nein! ... Wie denn?«

»›Den Mann mit den tausend Halstüchern‹ ... Gefällt Ihnen das?«

»... Das gefällt mir.« Er hält einen Augenblick inne. »Wissen Sie, ich habe schon immer Halstücher getragen, aber nun fühle ich mich damit irgendwie sicherer ... irgendwie selbstsicherer ... verstehen Sie das?«

»Ja, ja, das verstehe ich ... Mir geht das genauso mit meinem Hut ...«

Marthe und der Mann mit den tausend Halstüchern sehen sich an, er ohne sein Halstuch, sie ohne ihren Hut, den sie kurz zuvor mit ihren Netzhandschuhen und der kleinen Handtasche aus geflochtenem Leder auf einen Stuhl gelegt hat.

Nun sitzen sie sich also schutzlos gegenüber. Zu dieser späten Stunde des Tages. Zu dieser späten Stunde des Lebens.

Der Hund stößt einen langen Seufzer aus, einen Seufzer der Erfüllung.

Im Eßzimmer herrscht ein schönes Durcheinander, eine, wie man sagen könnte, wunderbar weibliche Unordnung.

Eindrucksvolle Mengen farbiger Stoffe häufen sich. Der Tisch, die Stühle, die Couch, alle Möbel sind heute mit Beschlag belegt. Marthe, Céline und Mathilde machen sich in diesem Chaos zu schaffen.

Marthe hat den gemusterten Stoff anhand von Proben ausgesucht, die ihr die Tochter mitgebracht hat. Sie hat sich unwiderruflich für einen perlmuttglänzenden Stoff entschieden, der mit leuchtend roten Blumen übersät ist, die wie Girlanden oder Sträuße von Kußmündern angeordnet sind. Céline dagegen

hätte eine »ländlichere« Version mit Vergiß-
meinnicht und Kornblumen wegen der beru-
higenden Wirkung bevorzugt.

Mathilde sammelt unter dem Tisch voller
Entzücken die von der Nähmaschine herun-
tergefallenen Stoffreste auf. Sie schneidet sich
die roten Blumen aus.

Es ist schon lange her, daß Marthe und Céline gemeinsam mehrere Stunden mit Nähen
und Plaudern verbracht haben.

Heute ist dieses einträchtige Beisammen-
sein nicht ohne Risiko, da jede sehr wohl
weiß, was die andere weiß.

Marthe ist sich nicht sicher, ob ihre Tochter
ihr das gleiche Wohlwollen entgegenbringen
wird wie Paul, und zwar nicht etwa, weil sie
die emotionale Kurzsichtigkeit ihres Vaters
geerbt hätte – Céline bleibt, auch wenn sie ein
wenig konventionell ist, ein sensibles, auf-
merksames Wesen –, sondern weil Enttäuschung in der Ehe einer sentimentalen oder
romantischen Einstellung im allgemeinen
nicht gerade förderlich ist.

Und außerdem muß man schon zugeben,
daß hier die Welt kopfsteht! Helfen nicht

gewöhnlicherweise die Mütter ihren Töchtern bei der Aussteuer und richten, begleitet von unzähligen unausgesprochenen Dingen und Ratschlägen, verständnisvollen und manchmal frivolen Andeutungen, das Liebesgemach her? Und hier muß nun die arme Céline, die von ihrem Mann verlassene, vereinsamte Céline ...

Deshalb sprechen Céline und Marthe in gegenseitigem Einvernehmen über alles und nichts und dann über nichts und alles, oder wenden sich, wenn die Nähmaschine für einen Augenblick verstummt, der entzückenden kleinen Mathilde zu, die die Blumen ausschneidet und plötzlich unter dem Tisch hervorkommt und sagt: »Dein Schlafzimmer mit den roten Blumen, das wird aber hübsch, Großmama, nicht?«

»Ja, mein Schatz. Es wird sehr hübsch.«

»Ist das ganz für dich allein?« fragt der süße kleine Teufel.

Céline sieht von der Näharbeit auf. Mutter und Tochter starren sich an.

Kinder stellen im allgemeinen zwei Arten von Fragen: Fragen, die eine Antwort erfordern, und solche, die keine erfordern. Mathildes Frage scheint zur zweiten Art zu gehören, da das Kind sogleich wieder unter dem Tisch verschwindet, um weiter Blumen zu sammeln.

Doch der Schaden ist angerichtet.

Marthe wartet gefaßt darauf, daß Céline die Initiative ergreift. Das ist sie ihr schuldig.

»Entschuldige, Mama ... Es ist vielleicht indiskret, aber ... ist diese Geschichte wirklich ... (sie sucht nach dem passenden Wort) wirklich ernst?«

Das Wort »ernst« wirkt ganz seltsam auf Marthe. Paßt es doch so gar nicht zu dem Eindruck, den der Mann mit den tausend Halstüchern auf sie macht, und überhaupt nicht zu dem, was sie seit Wochen mit solcher Ungezwungenheit erleben!

»Nein, sie ist nicht ›ernst‹«, erwidert Marthe lächelnd. »Und gerade deswegen ist sie so schön!«

Die Ironie bringt Céline leicht aus der Fassung, doch die Neugier macht sie mutig: »Aber Mama! Du weißt doch genau, was ich meine ... Mit diesem Mann ... diesem ...«

»Félix!« unterbricht sie Marthe.

»Ja. Mit ... Félix ...Was ist denn das genau? Freundschaft, Zuneigung?«

Schon wieder steht die Welt kopf. Schon
wieder sind die Rollen vertauscht, und zwischen Stolz und Mitleid schwankend sagt
Marthe: »Stört dich etwa das Wort ›Liebe‹,
Céline?«

Sie hatte dieses Wort noch nie ausgesprochen. Und als sie es eben sagte, hat sie natürlich wieder den sanften Biß gespürt, aber
außerdem ein herrlich stechendes Gefühl in
den Augenlidern.

Céline betrachtet ihre Mutter aufmerksam.
Die Augen fragen. Nicht der Mund. Der Mund
würde das nie wagen: Es gibt Fragen, die eine
Tochter der eigenen Mutter nicht stellen kann.

Deshalb beantwortet Marthe die stumme
Frage der Augen, ohne verlegen zu werden:
»Es hat sich noch nichts abgespielt, wenn du
das wissen willst, mein Schatz, aber das liegt
nicht daran, daß ich, wie man so schön sagt,
keine Lust dazu hätte ...«

Und Marthe, die Unerschrockene, schließt
die Augen wegen des Wortes »Lust«, schließt
sie vor dem leichten Hauch eines luftigen

Schleiers. Und dann sieht sie wieder das aufmunternde Lächeln der Klatschmohnfrau auf dem Boulevard ...

Die kleine Mathilde muß wohl gespürt haben, daß über ihr etwas geschieht. Ihr niedliches Gesicht taucht auf, und sie fragt ungeduldig: »Hast du keine Blumen mehr, Mama?«

Céline scheint aus ihren Gedanken gerissen worden zu sein, die sie ebensowenig in der Gewalt hat wie ihre Gesichtszüge, auf denen sich eine rätselhafte Regung spiegelt, eine Mischung aus Verblüffung und Betroffenheit.

»Sag mal, Mama, gibst du mir noch ein paar rote Blumen?« fragt das Kind hartnäckig.

»Ja, ja, Mathilde, hier hast du welche. Hier hast du welche! ...« erwidert die Mutter mit einer Stimme, die geradezu wehtut.

Céline konzentriert sich auf die Nähmaschine. Sie nimmt die Näharbeit wieder auf. Alles scheint in Ordnung zu sein.

Die Kleine plappert unter dem Tisch weiter, zwischen den Beinen ihrer Mutter und denen der Großmutter, zwischen den eleganten, mit hauchdünnem Gewebe bekleideten und den ein wenig steifen, in Baumwolle steckenden Beinen.

Marthe seufzt wegen der Verblüffung, der Betroffenheit.

Dagegen weiß die kleine Mathilde in ihren Ringelsöckchen nicht, daß die Liebe zwischen den feinen Seidenstrümpfen und den dicken Baumwollstrümpfen ihre Wahl getroffen hat, und zwar willkürlich und völlig widersinnig.

»Ich möchte Ihnen zu gern mein neues Zimmer zeigen!«

Das Witzige daran ist, daß sie später, als sie an diese Worte zurückdenken, sich gegenseitig lachend eingestehen, daß weder er noch sie die geringste Zweideutigkeit in diesem spontanen Vorschlag Marthes gesehen haben, zumal es stark regnete, die »Trois Canons« mehr als zehn Minuten zu Fuß entfernt waren und die Müdigkeit sich bemerkbar machte – besonders in der linken Hüfte.

Es ist fast überflüssig, den Blick zu beschreiben, mit dem die Concierge das Trio beim Betreten des Hauses empfangen hat, wobei der Hund, wegen seiner schmutzigen

Pfoten, dem tödlichsten Angriff ausgesetzt war ...

Marthe nimmt den Hut ab, schlägt vor, einen Kaffee zu kochen, und entschuldigt sich zugleich dafür, wie banal ihre Wohnung im Vergleich zu dem Atelier ist, dessen wunderbare Unzweckmäßigkeit sie so sehr begeistert hat, daß sie schon eine Liste von Möbeln und Gegenständen aufgestellt hat, die noch aus der Zeit ihrer Ehe stammen und die sie so bald wie möglich an einen Trödler verkaufen will.

Zum Glück ist das Schlafzimmer da, mit der verschwenderischen Fülle von leuchtend roten Blumen auf perlmuttglänzendem Untergrund.

Dorthin bringt Marthe das Tablett mit dem Kaffee und den selbstgebackenen Plätzchen.

Der Mann mit den tausend Halstüchern weiß die Blumenpracht zu würdigen, und der Hund, erfreut darüber, seine Pfoten auf den warmen Kissen zu trocknen, macht sich über das Sandgebäck her.

Marthe hat ihnen die beiden Sessel überlassen und sich auf dem Bett ausgestreckt.

Die Unterhaltung zu dritt ist äußerst angeregt. Marthe lacht ohne Grund, was ihr jedoch ein guter Grund zu sein scheint.

»Sie lachen wie Rosina«, bemerkt Félix. »Fast, als ob sie sängen.«

Marthe findet das Kompliment raffiniert. Rosina ist schließlich ihre geheime Mitwisserin.

Trotzdem hat sie sich nicht getraut, von dem Fieber zu erzählen, dem Liebesfieber ...

»Haben Sie die Platte gehört?« fragt Félix, als läse er schon wieder ihre Gedanken.

»Ich kenne sie auswendig ... Ich höre sie oft ...«

Der Mann mit den tausend Halstüchern errät, was sie gleich sagen wird, und wartet daher ruhig und sichtlich befriedigt ab, was nun kommt ...

»... und denke dabei an Sie ...«, fährt Marthe fröhlich fort.

So, da wären sie also. Da ist der Moment der verheißenden, der zärtlichen Worte. Der Moment der liebevollen Bekenntnisse.

Der Hund gähnt, rollt sich auf einem Kissen zum Schlafen zusammen. Dieser Hund weiß, wie man diskret ist.

»All diese Blumen um Sie herum sind wirklich bezaubernd, Marthe.«

»Ja, sie sind wunderschön, nicht wahr, man weiß nicht recht, was für Blumen es sind ...«

»Das ist bestimmt Klatschmohn, zumindestens eine Art Klatschmohn.«

Marthe stößt einen leisen Schrei aus, wie beim ersten harmonischen Crescendo der Liebenden in Rossinis Oper.

»Fehlt Ihnen etwas, Marthe?«

»Nein, nein. Mir fehlt nichts ... Es ist nur wegen ... wegen ...«

Das ist sie also wieder, die verbannte, die verbotene Bluse!

Félix hat sich aufs Bett gesetzt. Er blickt Marthe fragend ins verstörte Gesicht.

»Kann ich etwas für Sie tun?«

Und nun betrachtet Marthe dieses alte Gesicht, das sich über sie beugt. In den dunklen, erstaunlich leuchtenden Augen glimmt es feurig.

»Vielleicht kann ich etwas tun ...«, sagt er diesmal in einem anderen Tonfall, nicht mehr fragend, sondern bekräftigend.

Marthe nickt mit dem Kopf, bejaht mit den Augen, mit den Händen, mit dem Herzen, bejaht aus ganzer Seele wie die Klatschmohn-frau auf dem großen Boulevard.

Da steht der Mann mit den tausend Hals-tüchern auf.

Marthe sieht seine Bewegungen wie in Zeit-lupe, als träume sie.

Zunächst zieht er die Vorhänge zu, und das Schlafzimmer verwandelt sich in einen Alko-ven, in dem weitere Blumensträuße auf sie herabzuregnen scheinen.

Dann entkleidet er sich langsam, und jede seiner Gesten scheint Marthes entschlosse-nes, aber ein wenig zitterndes Warten in eine Ewigkeit zu verwandeln.

Alle Halstücher fallen, bis er nackt ist.

Marthe denkt an nichts mehr. Sie sagt sich nur noch: »Ich liebe diesen nackten alten Mann, der sich meinem Bett nähert.«

Sie ist sich dessen so sicher, daß sie sich auf der geblümten Tagesdecke ebenso langsam, ebenso ungezwungen entkleidet, bis auch sie nackt ist.

Marthe denkt an nichts mehr. Sie sagt sich

nur noch: »Auch er liebt die nackte alte Frau, die auf dem Bett auf ihn wartet ...«

Die beiden Körper finden zueinander.

Ihre Haut, jahrelang geschliffen von der Zeit, ist sanft und verbraucht, glatt wie die Kiesel am Strand.

Marthe fühlt sich wie ein Kiesel, überläßt sich dem Rollen der Wellen.

Bei jeder Woge sieht sie in der Ferne Edmonds Kopf, der immer trübseliger im Glasrahmen auf der Kommode hin und her schwankt.

Der arme Edmond, Edmond der Unfähige ...

Sie ist noch nie so getaumelt, außer an dem Tag, als sich auf dem Gehweg vor den »Trois Canons« eine gewisse Hand ihres willigen Arms bemächtigte.

Die heutige Dünung läßt die Flut steigen. Bald wird sie ihren höchsten Punkt erreicht haben, denn dieselbe Hand hat mit einer Sturzsee den Kiesel, den Marthe geschlossen glaubte, direkt in der Mitte gespalten.

Und wieder dieser leise Schrei. Nicht vor Schmerz, nein, eher vor Überraschung. Und in

den Augen des Mannes mit den tausend Halstüchern liegt wieder Stolz, denn diesmal weiß
er, daß er zu dieser Regung etwas beigetragen
hat. Genau diesen leisen Schrei wollte er ihr
entlocken, diesen und keinen anderen.

An ihrer rechten Hüfte, der gesunden, der
jugendlichen Hüfte spürt Marthe, wie die
Freude größer wird, die Freude des geliebten
Mannes namens Félix.

»Ich bin Félix, stets zu Ihren Diensten!«
Hatte er sich nicht so vorgestellt?

Und einen solchen Liebesdienst erlebt sie
zum erstenmal in ihrem Leben als Frau, als
Klatschmohnfrau.

Seit sie nicht mehr geschlossen ist, seit Félix sie gespalten hat, hat Marthe den Eindruck, alles dringt in sie ein, füllt sie aus.

Sie fühlt sich erfüllt, erobert, im Sturm genommen.

Edmond hatte sich damit begnügt, an ihrer Seite zu sein, aber draußen, in sicherem Abstand sozusagen, was ihr übrigens durchaus genügt hatte. Félix dagegen ist ihr ganz nah, ist in ihr.

Jetzt erfährt sie endlich, was »Leben zu zweit« bedeutet. Sie trägt die Liebe, wie das Känguruhweibchen sein Junges: Fleisch im Fleisch, tief im Inneren, dort wo Körper und Seele sich nicht mehr unterscheiden, untrennbar sind, organisch und geistig verbunden.

Seit Félix' Sinne mit den ihren verschmolzen sind und ihre Seelen im gleichen Takt schlagen, haben sich Marthes Empfindungen verdoppelt, vervielfacht.

Diese Zweisamkeit erweitert ihr Empfindungsvermögen in den kleinsten Dingen des Alltags, den harmlosesten Gesten, wenn sie etwa einen Teller spült oder sich mit der Nagelschere die Fingernägel über der Glasplatte im Badezimmer schneidet. Nicht mehr allein zu handeln, allein zu denken, läßt sie die Einsamkeit ermessen, in der sie mit und anschließend ohne Edmond gelebt hat. Es muß ein Zwischendasein gewesen sein, eine lange Wartezeit in Schwarzweiß und ohne Worte. Der Farbfilm ihres Lebens hat erst jetzt begonnen.

Doch trotz ihrer Verliebtheit bereut Marthe nicht, eine alte Dame zu sein. Um nichts in der Welt möchte sie wieder jung sein, die Prüfungen des Lebens noch einmal überstehen, auch nicht die des Alterns, die ein wenig schmerzlich waren. Im Gegenteil, sie sagt sich, daß sie jetzt, erst jetzt, wirklich die Muße hat, zu lieben und daraus ihre einzige Beschäftigung, ihren alleinigen Zeitvertreib zu machen.

Wenn sie sich entkleidet, um sich zu waschen, muß sie natürlich die verlorene Schlacht des Körpers eingestehen, der von der Zeit mit unerbittlicher Hand zerknittert und zerfurcht worden ist, doch sie tut es ohne Kummer, denn dieser Körper wird begehrt, dieser Körper rollt in den Wellen der gemeinsam erlebten Lust, öffnet und füllt sich mit Félix' Freude.

Marthe ändert daher nichts an ihrer Kleidung, an ihrem Aussehen. Sie käme nie auf den Gedanken, ohne Hut nach draußen zu gehen, auf ihren Knoten zu verzichten oder einen Rock zu kürzen. Und dennoch muß sich etwas an ihr verändert haben, seit sie nicht mehr geschlossen ist, denn in den »Trois Canons« sieht Valentin sie mit anderen Augen an. Er erlaubt sich sogar manchmal einen Scherz, wenn auch im Einverständnis mit Félix und dem Hund, die sich anscheinend ein Vergnügen daraus machen, sie zum Erröten zu bringen.

Mit den Kindern ist die Sache schon anders.

Am letzten Sonntag beim Kaffee hat Céline sichtlich geschmollt, so wie sie es als Kind häufig tat. Sie fand die Stola mit roten Fransen, die Félix Marthe zu Ehren der unbezähmbaren Rosina geschenkt hat, geschmacklos.

Und Paul, der seiner Mutter nur einen flüchtigen Kuß auf die Wangen drückte, hatte wieder einmal seinen ausweichenden Blick. Céline muß ihm wohl von den Veränderungen im Schlafzimmer erzählt haben.

Marthe hätte vielleicht den Mut sinken lassen, wenn nicht Lise, die mutige Lise, gegen Ende des Nachmittags, der zum Glück durch die stets vergnügliche Anwesenheit der drei Enkelkinder aufgeheitert worden war, verschmitzt eingegriffen hätte: »Marthe, ich würde gern Ihren ... Ihren Gefährten einmal kennenlernen! ... Félix, so heißt er doch, nicht wahr?«

Und bevor Paul und Céline die Fassung wiedergefunden hatten, hatte sie noch hinzugefügt: »Wie wäre es denn, wenn Sie ihn am nächsten Sonntag zum Kaffee einladen würden?«

Und so nahmen die Dinge zur allgemeinen Verblüffung ihren Lauf . . .

Marthe, in ihre Stola mit den roten Fransen gehüllt, kreuzt das Datum in ihrem Notizbuch aus Saffian an. Daneben schreibt sie »Félix«, den Namen ihres Geliebten, den Namen der Freude, denn der Mann mit den tausend Halstüchern hat jetzt seinen Platz diesem Namen überlassen: Félix, der Ritter der Sturzsee, der kieselspaltende Kavalier.

Sie liebt es, ihn sich vorzustellen, wie er bei fallender Flut, wenn das Rollen der Wellen nachgelassen hat, neben ihr liegt, ist fasziniert von diesem kräftig gebauten, leicht gebeugten Männerkörper, der sichtlich geprägt ist von einem ausgefüllten Dasein – von dem ihr Félix im übrigen wenig erzählt hat – und dennoch von solcher jungendlichen Kraft erfüllt.

Sie liebt es, sich verträumt an sein knochiges Knie, an die verbrauchte, fast durchsichtige Haut seiner Schulter oder die wohlriechenden Falten seines Halses, die ihr besonders ans Herz gewachsen sind, zu erinnern – all das unter dem trübseligen Blick Edmonds –, und sie fragt sich dann, ob

Edmond wirklich einen Körper besessen hat, ein Knie, eine Schulter, einen Hals, denn wenn sie an ihn denkt, sieht sie nur das abstrakte, eisige Bild einer Gestalt in einem dreiteiligen Anzug oder in einem Schlafrock mit Ziertüchlein vor sich ...

Auf dem rot gemusterten Bett in ihrem Schlafzimmer denkt Marthe an die Unbekannte zurück, an die Klatschmohnfrau mit dem aufmunternden Lächeln. Jetzt ist sie nicht mehr im Zweifel über das stumme Zwiegespräch, als sie Seite an Seite gegangen sind, im gleichen Rhythmus, mit dem gleichen Wiegen des Seins. Sie wundert sich nicht einmal mehr über die Bluse, die aus der Vergangenheit aufgetaucht ist, ihre gemeinsame Bluse.

Marthe, die schon lange nicht mehr an Gott glaubt, glaubt dennoch ans Schicksal.

Auf der Straße, auf dem Boulevard, hat sich das Schicksal als Frau, als Klatschmohnfrau verkleidet. Die Unbekannte hat ja zu Marthe gesagt, an ihrer Stelle ja gesagt. Ja zu dem Begehren der wilden Sommerblume. Ja zu Félix, dem alten Künstler und Kavalier, der gerüstet war, das Begehren zu feiern. Und dann ist die Botin selbstsicher und wie besänftigt ihres Weges gegangen, während ihr glänzendes dunkles Haar im Wind flatterte.

Wenn man seinem Schicksal begegnet, muß das ein Geheimnis bleiben. Das ist der Preis, den die Magie erfordert. Deshalb erzählt Marthe nur sich selbst in der Stille ihrer Wohnung von dieser Begegnung. Sogar Félix wird nichts davon erfahren.

Und außerdem, wer würde ihr das schon glauben? Die kleine Mathilde vielleicht... Denn außer den kleinen Mädchen glaubt ja kaum noch jemand an Märchen.

»Das ist perfekt, Marthe. Und jetzt wenden Sie mir doch bitte den Kopf zu.«

Marthe wendet den Kopf. Sie liegt halb ausgestreckt auf dem Sofa im Atelier, in der gleichen Haltung wie an dem Abend, als sie mit Gänserillettes und Chianti gepicknickt haben. Sie trägt Rosinas Fransen-Stola zu dem Kleid aus blauer Kreppseide. Einen straffen Knoten. Die Schuhe hat sie anbehalten.

Der Hund liegt zusammengerollt vor ihren Füßen und schläft, die Schnauze auf den hellen Baumwollstrümpfen. Er schläft immer öfter: Es scheint fast, als probe er die Abschiedsszene, die große Szene des langen Schlafs. Sie wecken ihn nicht, nicht einmal zum Fressen. Er ist so friedlich. Seufzt ganz wie Marthe, zu der er offensichtlich Zuneigung gefaßt hat. Vor Wohlbehagen, das kann man erkennen. Er wird auf dem Bild zu sehen sein, das Félix mit energischen Strichen skizziert. Félix trägt eine schwarze Leinenjacke und ein rotes Halstuch, das sie noch nie gesehen hat.

Durch das offene Fenster, das die Geräusche der Stadt ins Atelier dringen läßt, flutet die Sonne.

Marthe schweigt. Sie versteht nicht viel von Malerei, doch sie nimmt an, daß dieser Augenblick entscheidend ist, denn Félix springt mit fliegender weißer Mähne hinter der Staffelei seltsam hin und her, als bedränge ihn etwas, als ringe er einem unsichtbaren Feind die Gunst ab, dieses sorgsam in Szene gesetzte Porträt auf die Leinwand zu bringen.

Marthe sagt kein Wort, aber sie spürt, daß sie in diesem Augenblick in Félix' Geheimnis, in den verborgenen Teil seines Wesens eindringt.

Dann wird Félix mit einem Schlag ruhig. Er legt den Kohlestift zur Seite und setzt sich auf den hohen Hocker. Er wischt sich mit dem Handrücken den Schweiß von der Stirn. Er sieht aus, als sei er soeben einer furchtbaren Gefahr entronnen. Und er lächelt. Worüber? Marthe weiß es nicht. Aber es ist ein Lächeln, das sich an niemanden richtet, nicht einmal an sie. Das nennt man wohl ein »seliges Lächeln«, sagt sie sich.

»Sind Sie fertig?« fragt Marthe ziemlich beeindruckt davon, daß sie auf ihre Weise an einem geheimnisvollen Ritus teilgenommen hat.

Félix blickt auf. Er wirkt noch älter, doch sein Gesicht leuchtet: »Nein, jetzt geht's erst los . . .«, erwidert er. Und diesmal gilt das Lächeln ihr.

Plötzlich geraten beide in Schwung.

Félix hat den *Barbier von Sevilla* aufgelegt, den Marthe wie vereinbart außer der Stola zum Modellsitzen mitgebracht hat.

Er summt bei dem jungen Grafen oder Figaro mit, sie bei Rosina.

Marthe sieht zu, wie Félix sie betrachtet.

Noch nie hat jemand sie so nachdrücklich, so scharf gemustert.

Wenn Félix die Augen auf ihr ruhen läßt, spürt Marthe, wie sein Blick ihr Gesicht und ihren Körper berührt. Sie weiß, wann Félix ihre Nase oder ihr Ohrläppchen zeichnet. Sie weiß, wann er die Rundung ihrer Schulter oder die Konturen ihrer Wade skizziert.

Es ist fast, als ob das Knirschen des Kohlestifts bei jedem Strich auf dem Papier der Nase, dem Ohr, der Schulter oder der Wade Leben schenkte, als ob ihnen jeder Blick Félix' einen Sinn verliehe.

Würde sie ohne diesen Blick, der auf ihr verweilt, überhaupt existieren, fragt sich Marthe.

Manchmal hält die Hand des Malers im Bann der Musik inne, dann setzt das Knirschen des Kohlestifts wieder ein, und Marthe überläßt sich wieder dem Genuß, betrachtet zu werden ...

»Sind Sie nicht müde? Sollen wir nicht eine Pause machen?« fragt Félix.

»Nein, nein«, erwidert Marthe, »ich fühle mich ganz frisch, richtig frisch!« Und dann seufzt sie vor sichtbarem Wohlbehagen, den Kopf der Staffelei zugewandt.

Sie sonnt sich in seinen Blicken, genießt sie wie andere die Sonne.

Sie wärmt ihren Körper, wärmt ihre Seele am Feuer der Augen, der glühenden Augen von Félix.

Der Hund hat sich nicht geregt, seine Schnauze liegt noch immer auf ihren Baumwollstrümpfen. Nur seine Ohren zittern leicht, denn auch mitten im Schlaf bleibt er wachsam, damit ihm nichts entgeht.

»Glauben Sie, daß der Hund eines Tages, ohne zu leiden, einfach einschläft?« fragt Félix.

»Ja, das glaube ich«, erwidert Marthe und legt dem Tier die Hand auf den Kopf, zwischen die beiden zitternden Ohren.

Félix und Marthe lächeln sich zu. Sie sind in einem Alter, in dem der Tod seinen Schrecken verloren hat, sind an einem Zeitpunkt ihres Lebens, da der Tod zum Leben gehört, wie ein Vertrauter, fast wie ein Freund.

Marthe sonnt sich wieder in seinen Blicken und schließt die Augen, um diese ungewohnte Empfindung besser genießen zu können.

»Ja, das ist gut. Lassen Sie die Augen geschlossen, Marthe. Das ist sehr schön! . . .«

Die Sonne, die richtige Sonne, streichelt die roten Fransen der Stola und Marthes linke Hüfte, die Hüfte, die sie daran erinnert, daß sie eine alte Frau, eine Großmutter ist.

Marthe denkt an ihre Kinder, an die Enkel, an den nächsten Sonntag. Die Frage nach der Einladung zum Kaffee hat sie ihm noch nicht gestellt.

»Haben Sie Kinder, Félix?« fragt Marthe, die Augen immer noch geschlossen.

»Nein«, erwidert Félix und lacht, »dazu habe ich keine Zeit gehabt!«

»Dann haben sie also keine Familie?«

»Doch, eine jüngere Schwester. Das reicht völlig!«

»So?«

Marthe denkt an ihr Leben, das ganz mit Arbeit und eintönigen Aufgaben ausgefüllt, und zugleich, auf Grund der zur Gewohnheit verkommenen Routine und Langeweile, so leer gewesen ist.

Marthe würde es schwerfallen, dieses Leben, diese Zeit zu charakterisieren; zu definieren, woraus sie bestanden hat. Die Zeit ist einfach verronnen, ohne daß Marthe darauf geachtet hat, siebzig Jahre lang, bis zu dem Tag ihrer ersten Verabredung mit Félix, dem Tag, an dem sie zum erstenmal, entsetzt über das aufreibende Warten, erlebt hat, wie sich die Zeiger der Küchenuhr dahinschleppten und dann plötzlich verrücktspielten, weil sie sich selbst dahingeschleppt, selbst verrücktgespielt hat ...

Félix konzentriert sich ganz auf seine Arbeit. Marthe spürt die Liebkosung des Kohlestifts auf ihren geschlossenen Lidern. Die Musik ist verstummt, gleichsam aus Rücksicht, um Félix' Konzentration und Marthes Träumereien nicht zu stören. Eines Tages wird Marthe ihm von der Küchenuhr erzählen. Dann wird sie ihm sagen, wie sich die Zeit in Bewegung gesetzt hat und dank der Ziffer Sieben, der Stunde der Verabredung, Gestalt angenommen hat.

»Es ist eine wahre Freude, Sie zu zeichnen, Marthe.«

»So?«

»Ihre Augenlider sind wie Muscheln ...«

Marthe wird wieder zu einem Kiesel. Einen Augenblick rollt sie in den Wellen am Strand ...

»Sind Sie nicht müde? Sollen wir nicht eine Pause machen?« fragt jetzt sie.

»Nein, nein. Ich fühle mich ganz frisch, richtig frisch!« Und dann seufzt Félix vor sichtbarem Wohlbehagen.

Sie wagt wegen des Wortes Muschel die Augen nicht mehr zu öffnen ...

Als Kind hat sie in den Ferien Muscheln gesammelt, um sie ihrer Mutter mitzubringen. Sie hat sie für die Mutter auf eine Stickvorlage geklebt, in bunte Blumen verwandelt. Und heute macht die kleine Mathilde, ohne daß es ihr jemand beigebracht hätte, das gleiche ...

Marthe denkt an die Enkel, an ihre Kinder, an den nächsten Sonntag.

»Félix?«

»Ja ...«

Marthe zögert einen Augenblick, ehe sie sagt: »Félix, hätten Sie etwas dagegen, meine Kinder kennenzulernen? Und meine Enkelkinder? Und die kleine Mathilde, wissen Sie, die mich schön findet, wenn ich mir das Haar bürste?«

»Überhaupt nichts«, erwidert er sogleich. »Ich würde mich sehr freuen, sie kennenzulernen ... Zumindest, wenn sie mit einem alten Narr wie mir etwas anfangen können!«

»Das ist ... das ist sehr nett von Ihnen, Félix ... Verstehen Sie ... Die Kinder ...«

Félix unterbricht sie: »Natürlich, Marthe. Natürlich. Jetzt können Sie die Augen öffnen.«

»Sind Sie fertig?«

»Ich bin fertig!«

Das Wort »fertig« weckt den Hund, der bedauernd gähnt.

»Kann ich es sehen?«

»Aber selbstverständlich!«

Félix kommt zum Sofa und reicht ihr den Arm.

Marthe ist ganz steif vom Liegen. Wie der Hund. Beide recken sich, erheben sich mühsam.

Félix sieht zu, wie Marthe sich betrachtet.

Sie sieht eine alterslose Dame mit zum Knoten geschlungenen Haar, die auf einem Sofa liegt.

Sie sieht einen schlafenden Hund, der sich ihr zu Füßen zusammengerollt hat.

Besonders aber staunt sie darüber, daß auch Rossinis Musik da ist – sowohl in den schillernden Fransen der Stola als auch in der glänzenden Schnauze des Hundes auf dem Baumwollstrumpf – und die unleugbare Verzauberung, die von dieser völlig gelösten, sinnlichen Hingabe ausgeht und etwas hat, das irgendwie von außen zu kommen scheint.

Doch vor allem schlägt Marthes Herz höher, als sie die beiden wie Perlmutt schimmernden rosafarbenen Muscheln sieht, die glitzernd vom Meersalz auf den Augenlidern der Dame mit dem Haarknoten liegen.

Der Einkaufskorb ist zu schwer wegen der Colaflasche für die Enkel, die morgen zum Sonntagskaffee kommen.

Mehrmals hat Marthe den Korb absetzen müssen, um ein wenig zu verschnaufen. Es ist sehr heiß. Jedesmal macht sie sich wegen dieses Kaufs Vorwürfe, aber jedesmal gibt sie wieder nach. Die Enkel hängen eben an ihrem sonntäglichen Gift, vor allem Mathilde, die nichts mehr von Milch und oder Saft hören will!

Marthe bleibt vor den »Trois Canons« stehen.

Der Gedanke an die Verabredung heute abend gibt ihr neue Kraft. Da sieht sie auch schon Valentin, der ihr den Rücken zuwendet und·an dem Tisch bedient, an dem sie nachher anstoßen werden.

Ganz gerührt nimmt Marthe ihren Korb wieder auf und will gerade weitergehen, als sie plötzlich die beiden sieht: Félix und sie. Sie und Félix. Ihr Félix ist in Begleitung einer Fremden, und das knapp drei Stunden vor ihrem Rendezvous!

Der Schock ist so heftig, so unerwartet, daß es eine Weile dauert, ehe Marthe den Zusammenhang zwischen dem Schlag, den sie in der Magengrube spürt, und dem Anblick dieses Paares herstellen kann, dieses Paares, das nicht sie, Marthe und Félix an ihrem Tisch in den »Trois Canons« sind, von wo das heimtückischste Geschoß auf Marthe abgefeuert wird, dessen eine Waffe fähig ist.

Instinktiv kommen die beiden Hände ihrem Herzen zu Hilfe, das einen Augenblick zu stocken scheint und – schlimmer noch – auf einmal gar nicht mehr zu spüren ist, als habe es diesen Körper schon verlassen, der zu keiner Bewegung fähig, wie versteinert ist.

Marthe hat schon immer geglaubt, daß sie eines Tages so, an einem Versagen ihres Herzens sterben würde.

Sie hat sich auch schon immer das Bild vorgestellt, das sie als letztes aus dem Leben mitnehmen wird: das Bild ihrer Kinder und Enkelkinder, die beim Kaffee fröhlich um sie vereint sind.

Sie ist bereit. Sie wartet.

Doch das traute Bild der Familie stellt sich nicht ein. Statt dessen sieht sie Félix vor sich, Félix, der sie mit einer Sturzsee öffnet, und das Klatschmohnzimmer. Das bedeutet wohl, daß sie nicht tot ist. Sie ist sogar sehr lebendig. Ein weiterer Beweis dafür ist der dumpfe, stechende Schmerz in der Magengrube, genau an der Stelle, wo sie den Schlag erhalten hat.

Wie jede Frau, die sich als Frau dem Leben gestellt hat, kennt sie Schmerz. Sie hat gelernt, all seine subtilen Schliche zu würdigen. Doch dieser Schmerz ist ihr neu. Nichts daran ist ihr vertraut. Es ist eine explosive Mischung, ein Amalgam aus widersprüchlichen Empfindungen, eine Kombination aus Gegensätzen. Kalt und heiß, Tag und Nacht. Marthe hätte nie geglaubt, daß Haß und Leidenschaft so gut zusammenpassen und von der gleichen Glut, dem gleichen grausamen Frohlocken beseelt sein könnten.

Marthe empfindet Félix gegenüber, der knapp drei Stunden vor ihrem Rendezvous mit einer Fremden am Tisch sitzt, eine Mischung aus glühender Verehrung und heftiger Abneigung. Anders gesagt, Marthe lernt die Qualen der Eifersucht kennen, die ihrem in Liebesdingen noch unerfahrenen Herzen bisher fremd waren.

Und wie jede Frau, die von diesem Übel ohnegleichen befallen wird, tut sie, die noch immer wie versteinert vor der Terrasse der »Trois Canons« steht, genau das, was sie auf keinen Fall tun sollte: Sie treibt den Pfahl tiefer ins Fleisch und verschlimmert so den Schmerz, der sie bereits zerreißt. Marthe will wissen, welches Halstuch Félix in dem fatalen Moment, da er auf frischer Tat ertappt wird, zu tragen wagt, sie will wissen, welche Farbe der Schal des Verrats hat.

Das zweite Geschoß ist brutal. Es vernichtet, was von Marthe, der von der Liebe geschlagenen Marthe, noch übrig ist, denn Félix trägt den granatfarbenen Schal mit Kaschmirmustern, den Schal der ersten Gefühlsausbrüche, ihr Lieblingshalstuch ... Innerhalb von ein paar winzigen Sekunden vollzieht sich in Marthe eine tiefe Wandlung.

Genauer gesagt, sie wird wieder zu der, die sie vor nur – wie ist das möglich? – knapp drei Monaten gewesen ist: eine alte Dame in Blau, die nichts von einer anderen alten Dame unterscheidet und der keine Klatschmohnfrau auf der Straße zulächeln würde, und zwar ganz einfach aus dem Grund, weil sie alle, aber wirklich alle Freude am Leben verloren hat, als sei es mit ihrer unverbesserlichen romantischen Ader, dieser seltenen, jugendlichen Veranlagung, ohne die sie nie mit siebzig vom Tee zum Kaffee übergegangen wäre, endgültig vorbei. Marthe betrachtet ihren Einkaufskorb mit der zu schweren Colaflasche.

Ihr bleiben natürlich noch die Enkelkinder ...

Den Blick von den »Trois Canons« abwenden. Nicht mehr den Tisch betrachten, der nicht mehr ihr Tisch ist.

Nach Hause gehen. Einen Fuß vor den anderen setzen. Schritt für Schritt, voller Verzweiflung. Und das Stechen in der Hüfte, das sich stärker als je bemerkbar macht . . .

Marthe hört nicht, wie Valentin sie von der Tür des Bistros ruft. Er muß hinter ihr herlaufen, ihren Arm ergreifen und sie beim Namen nennen, bis sie überhaupt den Weg, den sie soeben in Gedanken zurückgelegt hat, noch einmal zurückgehen kann, in umgekehrter Richtung, sozusagen auf die andere Seite ihrer selbst.

»Aber Madame Marthe, Monsieur Félix ruft Sie schon ewig! Haben Sie denn nicht gesehen, daß er Ihnen zugewinkt hat?«

Marthe wendet sich um. Sie blickt Valentin an, den Verbündeten, den Mitwisser aus der Zeit vor dem Verrat.

»Fühlen Sie sich nicht wohl, Madame Marthe? . . . Geben Sie mir doch Ihren Korb!«

Wo ist sie? Wer ist sie? Tut sie gut daran, sich überreden zu lassen und ihren zu schweren Korb den Händen des Kellners anzuvertrauen, der eifrig auf sie einredet?

»Sie müssen verstehen, Monsieur Félix will Ihnen unbedingt Mademoiselle Irène vorstellen!«

Mademoiselle Irène? Mademoiselle Irène?

Warum täuschen uns manche Worte nur? Warum machen sie sich einen Spaß daraus, uns in die Irre zu führen?

Valentin schiebt Marthe buchstäblich zu dem Tisch, zu ihrem Tisch.

Félix und der Hund stehen auf, ein Herz und eine Seele.

»Meine liebe Marthe! Endlich! . . . Endlich kann ich Ihnen Irène vorstellen, meine Schwester Irène!«

An dem denkwürdigen Sonntag, an dem Dr. Binet die kleine Mathilde dazu gebracht hatte, ihren Eintritt ins Leben nicht zu gefährden, war Marthe auch wie jetzt zwischen Lachen und Weinen schwankend zusammengebrochen.

Dem Schlimmsten entgangen zu sein, ist an sich schon eine Prüfung. Marthe merkt es an der liebevollen Aufmerksamkeit, die man ihr entgegenbringt. Die Gesichter, die voller Sorge über sie gebeugt sind, geben ihr eine Vorstellung davon, wie heftig ihre eigene Gemütserregung gewesen sein muß. Und die Zunge des Hundes, der ihr die Hand leckt, läßt sie ahnen, wie blaß und schwach sie plötzlich ist.

Doch die größte Angst um sich selbst flößt ihr Félix mit seinen vor Besorgnis weit aufgerissenen Augen ein.

»So, sie kommt wieder zu sich!«

Marthe erkennt Valentins Stimme und spürt auf der Wange wohltuend einen Eiswürfel.

»Sie haben uns solch einen Schrecken eingejagt, Marthe!« Das Lächeln in Félix' Augen überstrahlt einen noch nicht ganz erloschenen Funken der Besorgnis.

Wieder zu sich kommen ist der treffende Ausdruck. Marthe war tatsächlich davongegangen, ins Land des Sinnlosen, des Sinnwidrigen, ins Land der Mißverständnisse.

»*Sie* haben mir einen Schrecken eingejagt, Félix!« flüstert sie nur für sie beide und betrachtet dankbar den granatfarbenen Schal mit Kaschmirmustern und dann Irène, die Schwester, die sie auf Anhieb liebgewinnt, vor allem weil sie das getreue weibliche Ebenbild von Félix ist, bis auf ihr Haar, das nicht so struppig und nicht ganz so weiß ist.

»Entschuldigen Sie diese ... dieses ...«, stottert Marthe.

»Aber ich bitte Sie ..., das kommt bestimmt von der Hitze. Wissen Sie, Marthe, mir macht sie auch schwer zu schaffen ... Sie gestatten doch, daß ich Sie Marthe nenne? ... Félix hat mir soviel von Ihnen erzählt, daß ich den Eindruck habe, Sie bereits zu kennen!«

»So?«

Sie errötet ... Zum Glück bringt Valentin einen eisgekühlten Zitronensaft. Diese Runde geht auf seine Rechnung ...

Marthe erinnert sich mit einer Genauigkeit, die sie selbst erschüttert, an ihren ersten Zitronensaft auf der Terrasse eines Cafés, den Zitronensaft, den ihr der Vater spendiert hat, als er ihr ankündigte, daß sie Edmond heiraten würde. Die Ankündigung war kurz, herb und kühl wie das Getränk, ohne jeden Raum für Auflehnung oder Erschütterung. Auch an jenem Tag war es sehr heiß gewesen, und damals wußte sie noch nicht, daß sie die Klatschmohnbluse zum letztenmal trug ...

Jedesmal wenn sie an Edmond zurückdenkt, scheint Félix das zu spüren. Dann ergreift er schnell Marthes Hand, als wolle er sie von diesen melancholischen Pfaden abbringen, auf denen die Erinnerung noch immer ins Stolpern gerät.

Er hat also ihre Hand ergriffen. Sie hat sie ihm auch in Anwesenheit von Irène überlassen, die die beiden liebevoll betrachtet.

»Ich habe Ihnen also einen Schrecken eingejagt?« sagt er mit leiser Stimme, während er sich zu ihr herüberbeugt.

Sie antwortet nicht gleich. In Gedanken sieht sie sich wieder auf dem Gehsteig, versteinert. Sieht sich wieder verraten, ausgeschlossen und vor allem so alt, so furchtbar alt.

Sie spürt Félix' Hand, fest und drängend wie die Frage. Diese Hand, die sie gespalten hat und die sie für immer verloren geglaubt hat.

Marthe ist vor Rührung den Tränen nahe.

»Ich glaube, ich habe mir vor allem selbst einen Schrecken eingejagt ...«

Und da Félix sie verständnislos anblickt, fügt sie mit einem flüchtigen Hauch, der einem Kuß ähnelt, hinzu: »Ich erkläre Ihnen das später ...«

Und auf einmal ist sie wieder mit dem Zitronensaft, mit dem Leben versöhnt.

Der Hund, der sich mit überschwenglicher Zärtlichkeit auf ihren Füßen ausgestreckt hat, wärmt sie ein bißchen zu sehr, doch ihr Kopf ist kühl und klar.

Die beiden Geschwister haben an allem ihren Spaß, vergnügen sich mit fast kindlicher Freude.

Marthe sagt sich, daß ihr ein Bruder gefehlt hat, um sich gegen Edmond zu wehren und sie für die Langeweile zu entschädigen. Als das Lachen kurz verebbt, denkt sie an das, was sie gerade erlebt hat: ihre Eifersucht, ihren Verdacht. Sie hat den Eindruck, sie hätte daran sterben können.

Bevor sie sich der allgemeinen Fröhlichkeit anschließt und in das Lachen von Félix und dessen Schwester einfällt, sagt sie sich, wenn Alter nicht vor Liebe schützt, dann kann es auch vor Eifersucht nicht schützen, aber daß sie, wenn sie die Wahl hätte, es bei weitem vorziehen würde, vor Liebe zu sterben!

Die Inszenierung ist sorgfältig einstudiert worden. Félix wird sich also erst am späten Nachmittag der versammelten Runde anschließen, so natürlich wie möglich, als käme er zufällig durchs Viertel.

Nach reiflicher Überlegung ist auf einen feierlichen Empfang an der sonntäglichen Kaffeetafel und vor allem auf eine allzu »eheliche« Version verzichtet worden, die bedeutet hätte, daß Marthe und Félix gemeinsam die ganze Familie an der Wohnungstür empfangen hätten.

Marthe hat kaum geschlafen. Sie hat sich drei alte Riesenkreuzworträtsel, die sie zufällig unter dem Küchenhocker entdeckt hat, noch einmal vorgenommen, hat vier Baumwollstrümpfe gestopft, fünfmal den *Barbier von Sevilla* gehört, die Tischwäsche wieder und wieder überprüft und sich schließlich für die weiße Spitzendecke entschieden, die noch aus der Aussteuer ihrer Mutter stammt. Ihre Mutter ... Noch nie hat sie Marthe so gefehlt. Denn wem soll man den Auserwählten des Herzens vorstellen, wenn nicht seiner Mutter? In wessen Arme sich schmiegen und wem, wenn nicht ihr, dieses so späte jugendliche Geheimnis anvertrauen?

Und wieder das Gefühl, die Welt stehe kopf. Und die Widersprüchlichkeit, die vertauschten Rollen, denn heute sind ihre Kinder die Vertrauten, die Urteilenden, die möglichen Richter ...

Der Countdown auf der Küchenuhr hat begonnen. Die Ziffer Vier, die Kaffeezeit, wird das Schicksal Marthes, das Schicksal der beiden besiegeln. Auf einer Wanduhr, so sagt sie sich, gibt es immer eine Ziffer, die das Schicksal eines jeden prägt ...

Das Klingeln des Telefons läßt sie zusammenzucken. Das kann nur er sein. Er ist es.

Seine Stimme klingt nicht so wie sonst, als er Marthe fragt, ob sie gut geschlafen habe, eine Stimme, der man nur zu deutlich anmerkt, daß auch er eine schlaflose Nacht verbracht hat ...

»Ich wollte Sie etwas fragen, Marthe ... Was meinen Sie, welches Halstuch soll ich ... ich meine ... welche Farbe ...?«

Marthe ist völlig verwirrt. Noch nie hat Félix ihr eine solche Frage gestellt. Sind die Halstücher, die Schals und die Art, wie er sie knüpft oder löst, nicht über jeden Zweifel erhaben, ebenso selbstverständlich wie sein Dasein?

Marthe lächelt. Lächelt dem zu, der fragt. Lächelt der zu, die antworten muß. Der gemeinsamen Furcht dieser beiden Herzen, die der gleiche Uhrzeiger beunruhigt. Doch auf Grund der Verlobungsdecke ihrer Mutter erwidert sie fast ohne zu zögern: »Das weiße Halstuch, Félix! Das weiße ist genau das richtige!«

»Ja? Das habe ich auch gedacht ...« Er hält einen Augenblick inne. »Und dann wollte ich Sie noch fragen ...«

»Der Hund? Aber natürlich, bringen Sie den Hund mit! Die Kinder werden entzückt sein!«

Diesmal merkt sie, wie er lächelt, bevor er aufhängt. Das »Auf Wiedersehen« klingt wie Glockengeläut ...

Jetzt ist die Tafel bereit. Eine festliche Tafel in glitzerndem Weiß.

Marthe bewundert sie, wenn auch ein wenig eingeschüchtert von dem Gedanken, daß sie es gewagt hat, die Verlobungsdecke zu nehmen.

In der vergangenen Nacht hat sie mit weit geöffneten Augen, den Blick auf sich selbst gerichtet, lange über ihren Seelenzustand nachgedacht. Geleitet von der Klatschmohn-frau, die von nun an Marthes Streifzüge der Liebe erhellt, ist sie wieder einmal durch die Vergangenheit gewandert, von einer Marthe zur anderen, hat vor allem lange bei dem jungen Mädchen, dem Mädchen in Rot, verweilt. Dieses Mädchen ist jetzt ihre engste Gefähr-tin, die sie endlich wiedergetroffen hat, nach-dem Edmond sie so viele Jahre lang getrennt hat. Edmond, der Farblose, der eintönige Edmond ...

Mit weit geöffneten Augen hat sie auch ihre Eifersucht noch einmal erlebt, aber nicht mehr wie eine Gefahr, eine Bedrohung, sondern im Gegenteil wie eine heftige, belebende Liebeswut. Lauthals lachend hat sie entdeckt, daß sie dank der unschuldigen Irène, wie man sagt, rotgesehen hat. Dank Irène weiß sie nun, daß ihr in Zukunft die Farbe der Dinge nie wieder entgehen wird.

Daß sie fast daran gestorben ist, rotzusehen, hat die Liebe noch um einen Grad gesteigert. Und das macht ein wenig schwindlig, wie die Schaukel im Jardin du Luxembourg, als die blau gefrorenen Beine vor Kälte, vor Angst und vor Wut über diese Angst gezittert haben. Marthe weiß keinen Namen für diese um einen Grad gesteigerte Liebe.

»Ich habe geglaubt, ich hätte Sie verloren!« hatte sie noch am selben Abend Félix erklärt. »Ich habe plötzlich so etwas wie eine große Leere empfunden, verstehen Sie?« Félix hatte sich nicht über sie lustig gemacht. Im Gegenteil. »Ich auch, Marthe. Auch ich habe geglaubt, ich würde Sie verlieren ...«, hatte er erwidert. Und dann waren sie lange so sitzen geblieben, Hand in Hand, mit wehmütigem Herzen, bis der Portwein, den Valentin ihnen servierte, sie wieder zum Lachen brachte. Anschließend hatten sie über die Einladung zum Kaffee gesprochen, doch sie wußten beide, daß sie gemeinsam jene Stufe der Liebe erklommen hatten, die jede Unvernunft erlaubt ...

Die festliche Tafel ist bereit. Auch Marthe ist bereit. Sie hat keine Angst mehr, als es an der Tür klingelt. Die linke Hüfte sträubt sich etwas. Aber was bedeutet das schon?

Alle stürmen wie immer mit Körben, Blumen, Ermahnungen und Ausrufen herein. Die kleine Mathilde allen voran, denn sie will der Großmutter als erste einen Kuß geben. Ein Ansturm von Jugend, Energie, ein Wirbelwind von Gesagtem, nicht Gesagtem, von ziemlich großer Freude, von relativ kleinem Ärger: kurz gesagt, eine Familie.

Marthe verschwindet unter den Päckchen, den Küssen und dem Spielzeug, das für alle Fälle mitgebracht und nie benutzt wird.

Noch bevor sich die Sippe niederläßt, hat Mathilde schon alle Zimmer inspiziert. Sie rennt zu ihrer Mutter zurück, die gerade die Mäntel an der Garderobe im Eingang aufhängt: »Ist er nicht da?« trompetet sie.

»Wer?« fragt Céline ohne nachzudenken.

»Äh ... der Monsieur!«

In der Stille, der darauffolgenden verlegenen Stille, die durch den plötzlichen Satz ihres Herzens verstärkt wird, hört Marthe, wie sie die Worte ausspricht, die sie sich seit dem Vormittag zurechtgelegt hat und denen sie möglichst wenig Gewicht zu geben sucht:

»Er kommt nachher, mein Schatz ... Der Monsieur ... (Sie hat Mühe, das Wort auszusprechen) ... der Monsieur kommt ein bißchen später ...«

Die Enkel sind also auf dem laufenden ... Das ist vielleicht besser so, denkt Marthe und fragt sich, ob sie schon jetzt klarstellen soll, daß der »Monsieur« Félix heißt, oder ob sie damit warten soll, bis er da ist. Zum Glück ersparen ihr die durstigen Jungen diese heikle Erklärung. Die Cola hat doch etwas für sich, sagt sie sich, während sie mit Thierry und Vincent in die Küche geht. Die beiden Jungen nutzen die Gelegenheit, um ihrer Großmutter anzuvertrauen, daß sie in dieser Woche nicht genug für die Schule getan haben. Ihnen wäre es lieber, wenn das Thema nicht angesprochen würde. Sie verspricht es, natürlich ...

Die festliche Tafel löst allgemeines Entzücken aus. Während Lise den Schokoladenkuchen holt, stellt Céline den Strauß Rosen in die Kristallvase und bewundert mit Kennerblick die weiße Spitzendecke.

»Ist das nicht die Decke von Großmutter Louise?« fragt sie, denn sie besitzt ein Gespür für Tischwäsche, das schon fast an Eingebung grenzt.

Natürlich merkt Marthe, wie sie errötet.

»Doch, doch ...«, erwidert sie. »Das ist ihre ... Verlobungsdecke ... Die bekommst du eines Tages, mein Schatz.«

»Ach, weißt du, ich und eine Verlobung ...«, entgegnet Céline ein bißchen verbittert ...

Die Kaffeetafel findet Anklang. Lises Schokoladenkuchen ist noch besser gelungen als beim letzten Mal. Die Unterhaltung angeregt. Der Kaffee vorzüglich. Die Enkel vergnügt wie nie. Selbst Céline entspannt sich, und der traurige Schatten in ihren Augen verliert sich beim Anblick der Kinder, die mit einem Konzert obszöner Geräusche die letzten Tropfen Cola mit dem Strohhalm schlürfen und lachend in ihre Gläsern prusten.

Doch trotz dieser ungeheuchelten Freude liegt etwas Undefinierbares in der Luft, das diese sonntägliche Kaffeetafel von den anderen unterscheidet. Eine gewisse Erwartung schwebt im Raum, etwas Unausgesprochenes, das alle die ganze Zeit zu beschäftigen scheint. Marthe, noch ungeduldiger als die anderen, spürt dies nur zu gut, denn sie ist zugleich da und nicht da, verfolgt aufmerksamer denn je, was geschieht, und ist dennoch in Gedanken woanders, denkt an das, was kommen, was geschehen wird, wartet angespannt auf Félix' Ankunft, auf das heftige Schwanken, das sein Kommen zwangsläufig in diesem Boot, in dieser ruhigen Familie auslösen wird, die so fest in der Normalität der Dinge verankert ist.

Mathilde gelingt es, die allgemeine Aufmerksamkeit auf sich zu lenken.

Sie hat natürlich gleich Rosinas Stola mit den roten Fransen erspäht und gibt darin eine unnachahmliche Zigeunerin ab, die sich quietschvergnügt vor dem Tisch im Kreis dreht.

Marthe betrachtet gerührt ihre als Glücksengel verkleidete Enkelin. Von diesem feurigen Kobold steckt auch etwas in ihr: Es ist die Flamme, die sich unter dem braven Kleid aus Kreppseide verbirgt ...

Es klingelt. Das kann nur er sein. Er ist es.

Alle Augen sind auf Marthe gerichtet, alle Blicke gespannt.

Aufstehen, sich gerade halten – möglichst unbekümmert, wie Félix, der zufällig durchs Viertel kommt.

Mathilde stürzt los. Sie erreicht als erste die Wohnungstür und reißt sie weit auf.

»Oh!« sagt Félix, der nicht damit gerechnet hatte, seine Stola, verziert mit blonden Lokken und in dieser Entfernung vom Boden, zu sehen.

»Oh!« sagt die kleine Mathilde, die nicht damit gerechnet hatte, einen alten Herrn in Begleitung eines langhaarigen Hundes mit struppigem Fell zu sehen.

Félix trägt ein weißes Halstuch, das Marthe noch nie gesehen hat, und unter dem Arm eine Zeichenmappe. Durch die ungewohnte Situation, den Biß der Angst, die Anwesenheit aller, die nebenan warten, hat Marthe im übrigen den Eindruck, Félix zum erstenmal zu sehen. Sie findet ihn schön, schön in seinem weißen Halstuch aus der gleichen Seide wie sein Haar.

Mathilde, die sich plötzlich mehr für den Hund als für den Monsieur interessiert, läßt sich in den Arm nehmen.

»Wie heißt er?« fragt sie liebevoll.

»Hund. Wir nennen ihn den Hund. Und ich heiße Félix!«

Marthe bemerkt, daß er nicht »stets zu Ihren Diensten« hinzugefügt hat. Der ergebene Ritter ist er nur für sie, für sie allein.

Mathilde und der Hund sind schon Arm in Pfote, Pfote in Arm davongelaufen.

Félix ergreift Marthes Hand. Auf jeden Finger drückt er einen Liebeskuß. Das tut er, seit Marthe nicht mehr geschlossen ist. Die Geste eines stürmischen jungen Mannes, die sie rührt, weil er nicht mehr jung ist und ihre Finger steif von der Arbeit und der Langeweile von einst sind.

Jeder Kuß ist eine Huldigung, jeder Kuß eine kleine Welle, die den Strand, ihren Strand umspült. Daß man auf Félix wartet, auf sie beide wartet, ist kein Grund, auf das Ritual zu verzichten.

»Sie sind alle da . . .«, sagt Marthe, da ihr nichts Besseres einfällt.

Ein »historischer« Auftritt. So empfindet Marthe diese Szene und wird sie immer wieder so empfinden, vermutlich weil ihr das Kunststück gelingt, einen kühlen Kopf zu bewahren, aber vor allem, weil Félix die Kunst des Protokolls meisterhaft beherrscht.

Marthe bewundert verblüfft, wie er Komplimente zu machen versteht und mit der angeborenen Ungezwungenheit eines perfekten Grandseigneurs für jeden das passende Wort findet. Wäre sie nicht schon in ihn verliebt gewesen, auf der Stelle wäre sie genau wie Céline, Paul, Lise, Thierry und Vincent, die starr vor Staunen sind, nach dieser Begrüßungsrunde seinem Charme erlegen.

Thierry und Vincent streiten sich um die Ehre, einen Stuhl für ihn zu holen. Lise und Céline darum, Félix den Platz an ihrer Seite anzubieten. Und obwohl sich Paul ein wenig zurückhaltender zeigt, ist auch er von ihm angetan, das sieht Marthe nur zu gut daran, wie er an seiner Zigarette zieht und dabei schamhaft dem Blick seiner Mutter auszuweichen sucht.

Nach zehn Minuten lachen die jungen Frauen aus vollem Hals. Félix ißt das letzte Stück des Schokoladenkuchens auf. Paul kocht eine weitere Kanne Kaffee.

Und die Kinder tollen mit dem Hund umher, der sichtlich wieder zu Kräften gekommen ist, seit Mathilde ihm die goldene Haarschleife ihrer Puppe um den Hals gebunden hat. Marthe hat das Gefühl, als habe Félix schon immer so im Kreis ihrer Familie gesessen und mühelos, allein durch seine Anwesenheit, für glückliche Gesichter gesorgt.

All ihre Ängste sind verflogen. Statt dessen überkommt sie ein Gefühl des Friedens und sogar der Dankbarkeit. Und Félix mit den anderen zu teilen, erfüllt sie, wie sie sich eingesteht, mit großer Freude. Es ist, als könne sie endlich all die unversöhnbaren Marthes ihres Lebens miteinander versöhnen.

Von Zeit zu Zeit wendet er sich ihr zu. Ihre Herzen schlagen im Einklang wie in der Oper, zu der Musik, die nur sie kennen, wie am ersten Nachmittag, als er sie inmitten der Klatschmohnblüten erweckt hat. Sie liebt es, wenn Félix stolz ist.

Lise fragt, was sich in der Zeichenmappe verbirgt.

Félix zeigt die Rötelzeichnungen, für die Marthe ihm allein als Modell gedient hat. Céline und Paul prusten los. Man hat das Gefühl, sie sähen, sie entdeckten ihre Mutter zum erstenmal. Sie wirken ein wenig verlegen, irgendwie schuldbewußt.

In die darauffolgende Stille ertönt, gebieterisch und zerbrechlich zugleich, Célines Stimme, in kindlich klagendem Ton: »Félix, würden Sie auch von mir ein Porträt malen?«

Félix blickt Marthe an, die Félix anblickt: die Antwort ist natürlich ja.

»Mit Vergnügen, meine liebe Céline«, erwidert er.

Der Gedanke an den untreuen Ehemann kommt ihnen allen, und ganz besonders Marthe, in den Sinn. Jetzt ist sie verlegen, fühlt sich ihrer Tochter gegenüber ein wenig schuldbewußt. Seit Félix ihr Dasein erfüllt, seit sie Stufe um Stufe die Liebesleiter erklimmt, ist Céline oft zu ihr gekommen, hat sie traurig gestimmt und ihr so manchen Seufzer entlockt.

Oft überschattet der Gedanke, daß ihre Tochter keine Liebe mehr in ihrem Leben kennt, ihr eigenes Glück. Sie macht sich außerdem Vorwürfe, daß sie sich vielleicht an dem Tag, als sie gemeinsam die neuen Vorhänge und die Tagesdecke für ihr Schlafzimmer genäht haben, nicht taktvoll genug gezeigt hat. Célines Ungeschicklichkeit ist keine Entschuldigung für Marthes Selbstgefälligkeit! Als sei die Tatsache, geliebt zu werden, ein Grund, sich zu rühmen! Marthe weiß inzwischen nur zu gut, daß sich Liebe weder erzwingen noch zurückweisen läßt ...

Marthe hätte wieder steinerweichend geseufzt, wenn nicht Mathilde mit dem Hund an der Leine, der an dem goldenen Halsband fast erstickt, für Ablenkung gesorgt hätte: »Sag, schenkst du mir den Hund?« fragt sie bettelnd.

»Am besten fragst du ihn selbst, ob er damit einverstanden ist!« schlägt Félix vor und zieht das kleine Weibsbild, den kleinen Fratz an sich.

Ohne den Hund loszulassen, klettert die kleine Mathilde auf Félix' Schoß.

Alle lassen sich von der zeitlosen Szene des alten Mannes, den ein kleines Mädchen in Rührung versetzt, gefangennehmen, und wieder hat Marthe das Gefühl, sie habe ihn schon immer dort mit der kleinen Mathilde im Arm gesehen, ihrer kleinen Mathilde. Es kommt ihr auf einmal so einfach, so selbstverständlich vor, gleichzeitig Mutter, Großmutter und Geliebte zu sein ...

»Das sagt er mir doch nie«, stottert das Kind, enttäuscht von Félix' Vorschlag.

Der Hund hat sich völlig außer Atem unter dem Tisch auf die Füße seines Herrn gelegt. Er ist das Spielen, das Umherrennen leid.

Die Kleine ist ebenso erschöpft wie der Hund. Auch sie könnte jetzt in Rosinas, in Rossinis Stola einschlafen.

Doch so leicht läßt sich der kleine Teufel der Ablenkung nicht besiegen, denn plötzlich richtet sich Mathilde hellwach vor der versammelten Tafelrunde auf, die sich kaum von der Aufregung erholt hat, und laut und deutlich, jedes Wort betonend, fragt sie: »Sag mal, Großmama, ist Félix dein Verlobter?«

Marthe ist nie sehr schlagfertig gewesen, besonders nicht dann, wenn ihr etwas nahegeht. Allerdings hat auch das Zusammenleben mit Edmond nicht gerade dazu beigetragen, diese kleine Schwäche zu überwinden. Sie weiß, daß sie keine passende Antwort, noch dazu vor versammelter Gesellschaft, parat hat. Außerdem wäre es mit einer raschen Antwort nicht getan, denn die Frage ihrer Enkelin hat die Wirkung eines Erdbebens.

Und wieder einmal ist Félix der Mann, der der Grund für die Röte ist: Marthe spürt, wie sich das Feuer auf ihren Wangen ausbreitet, wie ihr Gesicht glüht.

Während dieser endlosen Sekunden geht sie in Gedanken die Tischrunde durch. Sie sieht niemanden, der ihr helfen könnte, nicht einmal Lise, die Mutige, und erst recht nicht Félix, auf den die Frage gemünzt ist und den Marthe aus Angst, ihn mit sich in die Katastrophe ihrer eigenen Erregung zu ziehen, nicht einmal anzublicken wagt.

Sie starrt verzweifelt auf die weiße Spitzendecke, die Verlobungsdecke ihrer Mutter Louise. Ihre Mutter, ja, ihre Mutter hätte sicher eine taktvolle Antwort gefunden ...

Und die Antwort kommt aus einer völlig unerwarteten Ecke, gebieterisch und zerbrechlich zugleich, aber ohne den kindlich klagenden Ton: »Natürlich ist er ihr Verlobter, mein Schatz, was denn wohl sonst? ...«

Marthe hebt den Kopf und blickt ihre Tochter an. Es kommt ihr vor, als habe sie Céline noch nie so lächeln sehen: wie nur eine Frau einer anderen Frau zulächeln kann.

Mathilde schläft, eingehüllt in Rosinas Stola, wie ein Murmeltier auf Félix' Schoß: Sie hat nicht einmal die Antwort abgewartet ...

Seit Marthe die Erlaubnis erhalten hat, zu lieben und geliebt zu werden, hat sie alle Hemmungen verloren. Der Rest an Schüchternheit, der noch geblieben war, hat sich verflüchtigt. Marthe ist eroberungslustig geworden oder besser: ungeniert.

Bei Célines Kehrtwende ist es geblieben.

Paul dagegen ist zurückhaltender geworden. Marthe stellt sich vor, daß er hin- und hergerissen ist zwischen der Freude darüber, seine Mutter glücklich zu wissen, und der Verlegenheit über das, was er wohl trotz allem als etwas Unschickliches betrachten dürfte. Er zieht sich mit Humor aus der Affäre.

»Na, immer noch die große Leidenschaft mit Félix?« hat er erst heute morgen gefragt. Marthe ist ihm nicht böse. Denn dank dieser scherzhaften Bemerkung hat sie sich von nun an das Wort aneignet, das ihr bisher fehlte, den Namen für die um einen Grad gesteigerte Liebe, jene Stufe der Liebe, die Unvernunft erlaubt: »Leidenschaft«. Natürlich, die Leidenschaft! ... So öffnet ihr Sohn ihr gewissermaßen zum zweitenmal die Augen, was den Zustand ihres Herzens angeht. Wenn er das wüßte ...

Auch in den »Trois Canons« bleiben Marthe und Félix nicht unbemerkt. In ihrer Ecke der Terrasse macht ihnen niemand den Rang streitig.

Nachdem Marthe den größten Teil ihres Lebens im Schatten des Vaters, des Mannes, der Kinder verbracht hat, ist sie endlich ins Licht getreten. Sie hat das Gefühl, sichtbar zu sein, so, als könne sie sich, erleuchtet von ihrem eigenen Glanz, umflutet von ihrem eigenen Licht, von außen sehen. Als sie das völlig unbefangen Félix erzählt, und zwar mit Worten, die sie zum erstenmal zu verwenden glaubt (denn Worte hängen nicht nur vom

Vokabular, sondern auch von der Gelegenheit ab, wie sie feststellen muß), lacht er und holt sogleich sein Zeichenheft hervor, um diese Marthe, die all das mit ganz neuen Worten erklärt, mit dem Kohlestift festzuhalten.

Valentin ist es zu verdanken, daß nach dem Portwein oft ein leichtes Essen voller Überraschungen und origineller Einfälle nach Art der andalusischen Tapas serviert wird. Und so hat Marthe, angeregt vom mitreißenden Eifer ihres Kellners, ihren Appetit wiedergefunden und macht sich munter über die Wurst aus Lyon, die marinierten Heringe und den Kartoffelsalat her.

Sie kann sich beim besten Willen nicht mehr daran erinnern, wie ihre letzte Gemüsesuppe geschmeckt hat. Hunger zu verspüren, ist für sie, die Essen immer nur als lästige Pflicht betrachtet hat, eine solch außerordenliche Empfindung, daß sie den Hunger manchmal mit einem Seitenstich oder einem beginnenden Bruchleiden verwechselt – Überbleibsel aus der Zeit, als sie noch aus Furcht vor einem Gebrechen oder einer möglichen Krankheit, die ihr als Abwechslung der Routine des Alltags im Grunde vielleicht sogar willkommen war, auf jedes ungewohnte Geräusch in ihrem Körper horchte . . .

Abends vor dem Schlafengehen greift Marthe aus all den Momenten, die sie mit Félix verlebt hat, eine seiner Gesten oder Bemerkungen heraus, die ihr besonders nahegegangen ist oder sie bewegt hat. Das ist ihr Abendtrunk, ihr Blütentee mit Klatschmohngeschmack.

Was die Nacht angeht, so haben sie es noch nicht gewagt. Noch nicht gewagt, sie gemeinsam zu verbringen. Eine Nacht ist keine Kleinigkeit. In der Nacht holt die Zeit einen wieder ein, und die alten Gewohnheiten bringen die Beschwerden des Alters wieder in Erinnerung. Die Abhängigkeit von den Medikamenten, die schlafstörende Hüfte, das aufgelöste Haar, all das bereitet Schwierigkeiten. Marthe zieht es vor, Félix all diese kleinen Kümmernisse nicht zu zeigen.

Nachmittags ist es etwas anderes. Nachmittags lassen sich ihre nackten alten Körper im gedämpften Licht des Klatschmohns leichter vergessen. Die Hinfälligkeit wird zu Sanftheit, die Hüfte zu Zärtlichkeit. Marthe läßt das Haar zum Knoten gesteckt, Félix behält seine ritterliche Miene, und die Flut nimmt sich willig ihrer an, steigend und fallend, während der Hund auf seinem Kissen schläft, die Schnauze zwischen den Pfoten.

Es wird immer schwieriger, den Hund aus dem Schlaf zu holen. Gestern abend hat er es vorgezogen, im Atelier zu bleiben, statt sie in die »Trois Canons« zu begleiten. Marthe hat übrigens beim Aufwachen an ihn gedacht, kurz bevor ihr Sohn sie anrief und ihr ungewollt das Wort »Leidenschaft« geschenkt hat.

Schon wieder klingelt das Telefon.

»Marthe!« Félix' Stimme ist völlig verändert. Eine Stimme, die jede Farbe verloren hat.

»Marthe!« sagt er noch einmal mit der gleichen seltsamen Stimme, als könne er mehr nicht sagen und hoffe, sie werde verstehen.

Und sie versteht.

»Der Hund?«

»Ja.«

»Wann?«

»Heute nacht.«

»Ich komme!«

Während Marthe zu Félix geht, schön im Takt, mit sanftem Wiegen des Körpers und wohlbemessenem Druck des Fußes auf den Gehweg, die kleine Handtasche aus Leder an sich gedrückt, versucht sie an nichts zu denken, nicht an den lebenden und erst recht nicht an den toten Hund. Sie übt sich im Lächeln. Das Lächeln wird Félix brauchen, auch wenn es nur ein trauriges Lächeln ist.

Ehe sie an der Tür schellt, noch schnell einen Seufzer, einer jener Seufzer, die der Seele Kraft verleihen.

Er öffnet, trägt kein Halstuch. Das Haar fällt ihm in Strähnen über die Augen.

Nicht einfach, diesem verwirrten Blick zwischen den weißen Strähnen zuzulächeln.

»Wo ist er?« fragt Marthe.

»Auf dem Sofa . . .«

Der Hund liegt mit der Schnauze zwischen den Pfoten auf einem Kissen. So schläft er gewöhnlich ein, wenn er zufrieden ist.

»Sie haben recht, Marthe, er sieht aus, als schlafe er. Er hat nicht gelitten«, sagt Félix mit einer Stimme, die wieder etwas Farbe bekommt.

Marthe hat die Hand auf die Schnauze gelegt. An dieser Stelle läßt sich der Hund besonders gern streicheln und bebt vor Dankbarkeit, ehe er ihr das Handgelenk leckt.

Die Geste wiederholen, für das Ritual.

Dann legt sich Marthe mit dem Hund zu ihren Füßen auf das Sofa – in der Stellung des »Porträts mit Muscheln«, wie sie es jetzt nennen; das Bild lehnt zum Trocknen an der Wand. Félix setzt sich ihnen gegenüber neben seine Staffelei.

In dem neuen Bild, das sie so abgeben, sieht der Hund lebendig aus.

Lange unterhalten sie sich. Lange schweigen sie.

Félix' Schmerz folgt dem Bogen der Sonne, steigt steil an bis zum Zenit und fällt dann wieder ab. Marthe begleitet diesen Bogen mit Worten oder Schweigen.

Félix leiden zu sehen, mit ihm bis auf die Gipfel des Schluchzens zu steigen, bedeutet, noch eine Stufe auf der Liebesleiter zu erklimmen.

Félix erzählt von dem Hund. Erzählt dabei von sich.

Mit diesen Worten zieht ein langer Lebensabschnitt vorüber, denn der Hund und der Mann haben das gleiche Alter. Sie sind achtzig. Damit lüftet sich für Marthe ein wenig der Schleier des Geheimnisses, das Félix umgibt.

Bald wird die Sonne verschwinden. Der Schmerz möchte es ihr gleichtun. Félix und Marthe haben sich nicht gerührt.

Schließlich richtet sich Félix auf und sagt: »Wie wär's mit einem Glas Portwein, Marthe?«

»Das dürfte genau das richtige sein.«

Als sie die Tür hinter sich schließen, werfen sie noch einen letzten Blick auf den regungslosen Hund.

Félix geht schwerfällig. Als würde er am Vorwärtskommen gehindert, weil ihm der Hund nicht mehr dauernd vor den Füßen herumläuft. Diesmal stützt er sich auf Marthes Arm. Auf das Halstuch hat er verzichtet ...

Der Portwein, das Klingen der Gläser, gilt heute abend dem Hund.

Valentin muß wohl etwas bemerkt haben, denn die Tapas häufen sich vor ihnen ...

»Wissen Sie, Marthe«, sagt Félix, »ich glaube, der Hund hat seine letzten glücklichen Stunden erlebt, als wir bei Ihnen zum Kaffee waren.

»Ich muß sagen, daß Mathilde eine richtige Leidenschaft für den Hund entwickelt hat!« erwidert Marthe, die mit großer Freude das Wort Leidenschaft verwendet, seit sie es in ihr Vokabular, in ihr Leben aufgenommen hat.

Félix lächelt, zwar traurig, aber immerhin.

Félix heute abend lächeln zu sehen, bedeutet das, die letzte Stufe auf der Liebesleiter zu erklimmen?

Die Antwort erhält Marthe am nächsten Morgen, als sie in einer Wohnung, die nicht die ihre ist, mit aufgelöstem Haar aufwacht und das ganze Atelier von Kaffeeduft erfüllt ist.

Die Nächte im Atelier und die Nachmittage im Klatschmohnzimmer haben nichts miteinander gemein.

Im Klatschmohnzimmer empfängt Marthe, umgeben von Blumen, Félix. Im Atelier ist sie die Blume, die gepflückt wird.

Am Nachmittag, in ihren eigenen vier Wänden, inmitten ihrer Möbel, ihrer vertrauten Umgebung, verliert sie nie die Beherrschung, auch nicht bei Sturm oder bei hohem Wellengang. Nachts dagegen spielt die Kompaßnadel verrückt, und Marthe verliert die Orientierung.

Wenn Marthe nach einer Nacht im Atelier wieder nach Hause geht, wankt sie über die

Straße, als sei sie berauscht – und das ist sie vermutlich auch, denn sie kennt sich kaum wieder –, und betritt ihre Wohnung, als sei sie die einer Fremden. Sie braucht mehrere Stunden, um ihr Gleichgewicht wiederzufinden, und hofft, daß keines des Kinder angerufen hat.

Sie hat es nicht gewagt, ihren Kindern – nicht einmal Céline – einzugestehen, daß sie jetzt manchmal die Nacht im Atelier verbringt. »Was zuviel ist, ist zuviel . . .«

Der Tod des Hundes hat in Félix' Augen eine leise Spur des Kummers hinterlassen, die nur Marthe sehen kann. Aber sonst ist er unternehmungslustiger denn je.

Er läßt sich immer wieder etwas Neues einfallen, schlägt Veranstaltungen vor, die sie besuchen können, Spiele.

Seine Blumensträuße treffen weiterhin regelmäßig bei der Concierge ein, der die nächtlichen Eskapaden nicht entgangen sind.

Félix hat darauf bestanden, selbst mit der kleinen Mathilde wegen des Hundes zu sprechen. Er sagt es ihr am Telefon.

Mathilde schien nicht allzu überrascht zu sein, daß Félix sie anrief. Sie erkundigte sich sofort nach dem Hund: »Und der Hund, wie geht's dem Hund?«

Sichtbar gerührt forderte Félix Marthe mit einer Handbewegung auf, den Lautsprecher anzustellen und mitzuhören, um sich Mut zu machen.

»Also, hör mal zu ... ich muß ... ich wollte dir sagen ... der Hund war sehr alt, weißt du ... Ja, und jetzt ist er gestorben ... er ist tot.«

Mathilde reagiert nicht gleich. Eine Pause entsteht. Félix und Marthe sehen sich an. Dann erwidert die Kleine: »Ist er tot, weil er sehr alt war?«

»Ja, mein Schatz, so ist es.«

»Ja, aber, du bist doch auch sehr alt, und du bist nicht tot!«

Félix und Marthe müssen im gleichen Moment lachen.

»Dann sehe ich den Hund also nicht wieder?«

»Nein, Mathilde, du siehst ihn nicht wieder.«

»Aber dich, dich sehe ich doch wieder?«

»Ja, mich siehst du wieder.«

»Ach so!« erwidert die Kleine ganz natürlich und legt auf.

Am nächsten Tag erfahren sie von Céline, Mathilde male nur noch Hunde und behaupte, sie werde später »Maler wie der Verlobte von Großmama!«, und sie habe nicht geweint.

Drei Wochen später hat Félix im Scherz Mathildes Bemerkung wieder aufgegriffen und Marthe eine Frage gestellt, die diesmal sie zutiefst rührt: »Da ich nicht tot bin, Marthe, könnten wir doch eine Reise nach Sevilla machen, was halten Sie davon?«

Seitdem ist sie, ängstlich und ungeduldig zugleich, mit den Vorbereitungen beschäftigt.

Sie ist nur einmal mit Edmond verreist. Nach Boulogne-sur-Mer. Sie erinnert sich noch, daß sie furchtbar gefroren hat. Das ist alles.

Vorbereitungen zu treffen, bedeutet nicht nur, zu bedenken, was alles in den Koffer gepackt werden muß, in den sie als erstes die Fransenstola gelegt hat, sondern auch, zurückzudenken, weit zurückzudenken, an die Zeit, als sie noch ein junges Mädchen war und davon träumte, von einem Mann auf einem Pferd entführt zu werden. Der Ritter hat zwar auf sich warten lassen, aber schließlich ist er doch noch gekommen, und heute verlangt er von ihr den absoluten Liebesbeweis: ihre eigenen vier Wände, ihre Möbel, ihre vertraute Umgebung zu verlassen, und nicht nur für eine Nacht, sondern vermutlich für ein ganzes Leben, auch wenn sich dieses Leben schon dem Ende zuneigt oder vielleicht gerade deswegen.

Vorbereitungen zu treffen, bedeutet, die Tage bis zur Abreise zu zählen. Zuzusehen, wie sich der Taschenkalender aus rotem Saffian, in dem sie ihre Eindrücke von dem nahenden Ereignis festhält, mit immer größerer Aufregung füllt. Es bedeutet, ihre Kinder, ihre Enkelkinder anders zu betrachten, sich an ihnen zu erfreuen, als müsse sie ihre Familie für immer verlassen, obwohl Marthe keinen Augenblick daran zweifelt, sie wiederzusehen.

Die Kinder haben die Idee dieser Reise mit Wohlwollen aufgenommen. Aber Paul konnte nicht umhin, Félix anzurufen, um sich nach allen Einzelheiten zu erkundigen und ihm nebenbei ein paar Ratschläge zu erteilen, die Félix »wunderbar väterlich« fand.

Vorgestern ist Lise überraschend vorbeigekommen – zum Glück war Marthe zu Hause –, um sie auf ein Kleid aufmerksam zu machen, das, wie sie sagte, »für Sevilla perfekt« sei und, wie sie hinzufügte, »etwas sommerlicher ist als das Kleid aus blauem Seidenkrepp« ...

Noch am selben Nachmittag ging Marthe zu Fuß, auch wenn es ziemlich weit war, zu dem Geschäft in der Nähe der Seine, von dem ihre liebenswerte Schwiegertochter erzählt hatte.

Das Kleid war tatsächlich im Schaufenster.

Als Marthe es sah, hatte sie den Eindruck, es warte auf sie oder gehöre ihr bereits. Die roten Motive auf cremefarbenem Untergrund erinnerten, wenn auch in etwas diskreterer Form, an die Vorhänge ihres Schlafzimmers und die Tagesdecke. Lise hatte sich nicht geirrt.

Marthe brannte darauf, das Kleid anzuprobieren. Die Verkäuferin war reizend und widmete sich voller Aufmerksamkeit dieser alten Dame, die genüßlich über eine Reise nach Spanien und einen gewissen Félix sprach.

Wann hatte sich Marthe zum letztenmal ein Kleid gekauft? Dieses saß auf jeden Fall wie angegossen. Ein leichter Stoff. Die ideale Länge.

»Wollen Sie es anbehalten?« fragte die Verkäuferin und fügte hinzu: »Es steht Ihnen ausgezeichnet!«

Marthe zögerte. Sie war wenig später in den »Trois Canons« verabredet, und es war heiß, aber sich einfach so von ihrem Kleid aus Kreppseide trennen ...?

Sie stimmte schließlich zu und ließ sich überreden, auch noch eine zum Kleid passende kleine Handtasche aus cremefarbenem Leder sowie ein Paar leichte Leinenschuhe und einen Strohhut in der gleichen Farbe zu kaufen.

Als Marthe unter dem wohlwollenden Blick der Verkäuferin das Geschäft verließ, bekam sie plötzlich einen furchtbaren Schreck: »Ob das Kleid Félix gefällt?« fragte sie sich mit einer ihr unbekannten Mischung aus Entsetzen und Freude. Die Hüfte, die sich plötzlich meldete, schien ihr die gleiche entscheidende Frage zu stellen.

Sie beschloß, mit dem Taxi nach Hause zu fahren ...

Wenn sie daran zurückdenkt, was anschließend geschehen ist, überkommt sie ein seltsames Gefühl.

Als sie sich ins Taxi setzte, sah sie auf der anderen Straßenseite eine Frau aus dem Autobus steigen, an deren Gesichtsausdruck und der irgendwie herausfordernden Haltung Marthe die Klatschmohnfrau wiederzuerkennen glaubte, sie hätte es beschwören können, wenn diese Frau nicht einen straffen Knoten und ein Kleid aus blauer Kreppseide getragen hätte, das im übrigen auf seltsame Weise dem Kleid glich, das Marthe gerade abgelegt hatte.

Es war nur ein flüchtiger Anblick, doch Marthe war ganz verwirrt ...

In den »Trois Canons« erregte Marthe abends geradezu Aufsehen. Sie fragte sich sogar, ob Félix, der sichtlich beeindruckt war, nicht ein wenig errötete, als er sie an ihrem Tisch begrüßte. Das war nur der gerechte Ausgleich.

Jetzt ist »der große Tag« da. So hat Marthe den 5. Juni in ihrem Notizbuch aus Saffian bezeichnet, das gut in ihre kleine Handtasche aus cremefarbenem Leder paßt.

Komisch, der Nachtzug nach Sevilla fährt um sieben Uhr ab, genau um die Zeit, zu der sie sich sonst in den »Trois Canons« treffen . . .

Paul, Céline und die kleine Mathilde haben darauf bestanden, die beiden an den Zug zu begleiten.

Marthe schließt Céline, Paul und dann Mathilde ganz fest in die Arme.

»Du siehst glänzend aus in diesem Kleid, Mama! . . . Diese Farben stehen dir wunderbar!« »Paß gut auf dich auf, Mama! Hast du auch all deine Medikamente eingepackt?« »Bringst du mir etwas mit, Großmama?«

Mit immer schwächer werdender Stimme sagt sie zu jedem »Ja! Ja!«, ehe sie auf Félix' Arm gestützt in den Schlafwagen steigt . . .

Jetzt beugen sie sich aus dem Fenster. Sie werfen den Zurückbleibenden Kußhände zu wie im Film oder in Büchern mit Happy-End. Félix trägt den granatfarbenen Schal mit Kaschmirmustern.

Der Pfiff zur Abfahrt ist schrill, ist vollkommen.

Marthe legt die Hand aufs Herz: Das Pochen übertönt den Lärm des Bahnhofs.

Jetzt ist es soweit. Der Zug fährt an.

Der Augenblick ist ebenso vollkommen wie der schrille Pfiff. Sie kosten dieses reine Gefühl aus, solange es geht.

Dann sagt Félix munter: »Meine liebe Marthe, wie wär's ...«

»... mit einem Glas Portwein vielleicht?«

Bei Félix' Lächeln wird sie rot, rot wie Klatschmohn.

Noëlle Châtelet
Die Dame in Blau

Roman
KiWi 531

»Ein Lobgesang aufs Alter, auf die Langsamkeit« *Amica*
»Ein elegant erzählter, formal geschickt komponierter Roman, der unterhält und sich durch Genauigkeit des Blicks auszeichnet.« *Süddeutsche Zeitung*

Noëlle Châtelet
Das Sonnenblumenmädchen

Roman
Gebunden

Sommer. Ein altes Haus in der Provence. Der Duft von Lavendel und Kräutern. Ringsum auf den Feldern, geheimnisvoll und leuchtend, die Sonnenblumen. Hier verbringt die kleine Mathilde ihre Ferien. Hier verliebt sie sich zum ersten Mal.
»Es gibt kein Rezept für das Glück, sagt die Autorin. Die eine findet es im symbolischen Rot, die andere im symbolischen Blau. Eine dritte, fügen wir an, beim Lesen der Bücher von Noëlle Châtelet.« *Süddeutsche Zeitung*

Paperbacks
bei Kiepenheuer
& Witsch

VERLAG
Kiepenheuer
& Witsch